ERIC SENABRE

LE DERNIER SONGE DE LORD SCRIVEN

Didier Jeunesse

À Ophélia, née des rêves elle aussi

...avec mes salutations de gentleman aux occupants
de la Malle de l'étrange.

I

30 Portobello Road

Appelez-moi comme vous voudrez : un idéaliste, un rêveur, un passionné... une tête de mule, peut-être. Et même casse-pieds, si vous y tenez. Je fais partie de cette race d'individus qui ne vivent que pour leur métier. On n'est pas si nombreux dans ce cas en réalité, car vous avez dû remarquer que la plupart des métiers sont prodigieusement ennuyeux. Et je sais de quoi je parle, parce que des boulots, j'en ai exercé un paquet : garçon de courses, déménageur, comptable, et puis commis dans une compagnie d'assurances... Là, à vingt-quatre ans, j'avais déjà l'impression de goûter à la damnation. Ma vocation, pourtant, je la connaissais : journaliste, et rien d'autre. J'étais observateur, culotté, tenace, et vous me pardonnerez cet excès de fierté, certainement le meilleur investigateur du milieu. Ne manquait plus que l'occasion de le faire comprendre au reste du monde.

Celle-ci a fini par se présenter un jour, heureusement ; il s'en est fallu d'un peu de chance, et de beaucoup d'audace. La compagnie qui m'employait alors recevait un client très prestigieux en la personne de M. Basil Knowles, propriétaire d'un des journaux les plus en vue de Londres. On m'avait demandé de lui apporter du thé et des gâteaux tandis qu'il patientait dans le petit salon, en attendant que le grand patron vienne lui exposer avec un sourire de serpent à sonnette de quelle manière il comptait l'escroquer. (Par respect pour le client, nous ne disions bien sûr jamais « escroquerie », mais « contrat d'assurance ».) Je m'étais donc présenté à M. Knowles, armé d'un cake au citron spongieux et d'un thé trop chaud. Et sans coup de semonce, je lui avais dit : « Monsieur Knowles, ne vous fiez pas aux apparences. Vous avez devant vous un grand reporter, une plume d'acier trempée dans l'acide, une paire d'yeux qui voit dans la nuit la plus noire. Et accessoirement, un pauvre type qui n'en peut plus de travailler ici. Faites une bonne action, donnez-moi ma chance dans votre journal. Et surtout, ne mangez pas le cake, conseil d'ami. » M. Knowles avait souri, repoussé négligemment le cake, bu une gorgée de thé, sans plus dire un mot. Deux heures plus tard, j'étais renvoyé. Et quatre heures après, je recevais un coup de téléphone du rédacteur en chef du *London Star*, qui me proposait un article d'essai.

Pendant deux ans, j'ai vécu un rêve, gravissant un à un les échelons du succès. Après avoir aiguisé mon crayon sur une chronique de faits divers, je me suis attaqué à des sujets de plus en plus sérieux. Et de plus en plus sensibles. Le public adorait toutes ces affaires que j'exposais au grand jour. J'ai poussé à la démission quelques grands patrons, embarrassé des lords, chatouillé des gangsters. (J'ai dû croiser quelques individus qui étaient les trois à la fois.) J'étais la vedette du journal, et les voix se mettaient à trembler quand j'annonçais mon nom.

Seulement, il y a eu ce que j'appellerais « le coup de trop ». J'enquêtais sur les agissements d'un industriel du nom de Kreuger, dont les multiples sociétés me paraissaient être un écran pour des activités moins recommandables. Et en quelques semaines, je me suis retrouvé à la case départ. La *vraie* case : plus de travail, plus d'appartement, plus d'argent. Personne ne voulait de moi dans la presse : le mot d'ordre était que Christopher Carandini – c'est mon nom – ne devait plus jamais approcher d'une machine à écrire. Ou de quoi que ce soit d'autre qui me permettrait de gagner ma vie, d'ailleurs.

J'avais l'impression que ma photo était punaisée sous le bureau de tous les recruteurs de Londres, qu'il s'agisse de marchands de saucisses, de tanneurs ou de dératiseurs.

Les premiers temps, je me suis accroché à ce qui me restait d'ego et de dignité. Dans ma tête, j'étais toujours le grand Christopher Carandini, Toph pour mon petit cercle, le meilleur reporter de toute la capitale. Le jour où je n'ai plus su où dormir, après avoir épuisé la bienveillance et la patience de tous mes amis, j'ai rangé ma fierté dans le fond de mon sac à dos.

Je n'ai passé qu'une nuit sur un banc, enveloppé dans une vieille couverture, mais je peux vous jurer que ça ne m'a pas donné envie de remettre ça. Des nuits pareilles, il aurait dû y en avoir d'autres ; mais le hasard m'a souri. Un exemplaire du *Times* traînait sur le banc où j'avais élu domicile. Autrefois, je voyais les journaux comme un gagne-pain ; mais, depuis ma déchéance, c'était surtout un moyen de doubler mon manteau pour avoir moins froid. En première page, on parlait d'un meurtre sanglant dans le quartier des affaires ; c'était la troisième femme que l'on assassinait en quelques mois, en pleine rue. Certains n'hésitaient pas à y voir le retour de Jack L'Éventreur, mais le *Times*, bien sûr, restait prudent. Et je l'avoue sans honte : à l'époque, rien ne pouvait moins m'intéresser. En continuant à effeuiller le journal, toutefois, je suis tombé sur une annonce qui m'a immédiatement attiré l'œil. Je ne l'ai pas gardée – je ne suis pas très sentimental, au fond – mais je m'en souviens par cœur. Elle était rédigée ainsi :

Gentleman cherche secrétaire particulier pour surveiller son sommeil. Se présenter au 30 Portobello Road et demander une théière.

Toute la nuit, j'ai ruminé ces deux phrases. Qui pouvait bien avoir besoin de quelqu'un pour surveiller son sommeil ?

Et que venait faire cette théière dans l'histoire ? La personne qui avait rédigé l'annonce était probablement folle à lier, mais, en tous les cas, elle habitait les beaux quartiers. Il n'y avait rien de si étonnant à cela : nous étions en 1906, et, cette année, un vent de démence soufflait sur tout le pays. J'ai donc attendu patiemment que le jour se lève, trop excité pour dormir, me perdant dans de folles conjectures.

On ne se refait pas. Ce n'est ni le froid, ni les passants louches, ni l'espoir de trouver un nouveau travail le lendemain qui m'ont tenu éveillé, mais bien cette bonne vieille montée d'adrénaline que je ressens toujours avant une enquête sérieuse.

C'est maintenant que commence vraiment notre histoire.

Le 30 Portobello Road abritait une boutique d'antiquaire, au sein de laquelle régnait un désordre très organisé. C'est une spécialité toute britannique que de pouvoir donner une apparence de bazar à un soigneux agencement d'objets. On fait semblant d'entasser, mais en réalité, on dispose de manière réfléchie, on brique ce qui doit briller, on laisse le reste sous une rassurante couche de poussière. C'était un très bel endroit, suffisamment grand, qui sentait bon la cire et le bois. Il s'y trouvait des tas de choses inutiles que j'aurais bien aimé m'offrir : une balle de cricket (mais je n'y joue pas), une malle de pique-nique en osier (même si je déteste les déjeuners sur l'herbe), une flasque à whisky (ça, c'est une autre histoire). Hélas ! je me rappelai que j'étais sans le sou, et résolu à me concentrer sur mon objectif principal. Est-ce qu'il y avait une théière ? Je n'en voyais pas. Et d'ailleurs, je ne voyais pas non plus qui pouvait bien tenir la boutique, totalement vide à mon arrivée. Je me décidai à frapper du poing sur le comptoir. Quelques secondes plus tard, j'entendis quelqu'un monter des marches d'un pas léger, et je m'aperçus que derrière une énorme selle de cheval, sur ma gauche, il y avait un escalier menant à un sous-sol. Bientôt, une jolie femme aux cheveux blonds, montés en chignon, parut devant moi ; elle devait avoir une trentaine d'années, et portait un collier de perles sur une robe aux motifs géométriques. Elle s'installa derrière le comptoir en se recoiffant d'une main, et me dit d'un ton chantant :

« Bonjour, monsieur ! Cherchez-vous quelque chose en particulier ?

– Oui, fis-je. Une théière.

– Oh ! très bien. Vous avez un modèle précis en tête ? J'en ai quelques-unes.

– Eh bien... Non, je ne cherche rien de spécial. Mais je pensais que...

– Quoi donc ? »

J'aurais pu citer l'annonce, évidemment, mais il y avait dans cette situation quelque chose de si agréablement absurde que je décidai de ne rien brusquer.

« Rien. Montrez-moi ce que vous avez.

– Parfait. Je dois en avoir une en porcelaine de Chine. Pas très chère, rassurez-vous. »

Un doigt sur les lèvres, elle balaya ses étagères du regard, avant de s'arrêter sur une candidate aux flancs blancs et rebondis, parcourus de ces idéogrammes bleus qui, pour autant que je le savais, pouvaient tout aussi bien être des paroles de sagesse qu'une insulte telle que « Allez vous faire cuire un œuf ! » Elle s'en saisit et me l'exhiba comme si elle venait de déterrer un tibia de diplodocus.

« Qu'en dites-vous ?

– Elle est magnifique, vraiment.

– Je trouve aussi.

– Bien. »

Elle la posa sur le comptoir avec un grand sourire et croisa les mains dans son dos. Je lui rendis son sourire, et nous restâmes quelques instants plantés l'un devant l'autre comme des imbéciles.

« C'est, euh... cinq shillings, monsieur ! déclara-t-elle dans un gloussement d'embarras.

– Mais oui, bien sûr... » fis-je, en tâtant mes poches, comme si j'ignorais qu'elles renfermaient autre chose qu'un vieux ticket de bus et un papier d'emballage de chocolat.

Elle attendit patiemment la fin de mon petit manège, et j'éclatai d'un rire tellement forcé que j'en eus moi-même honte.

« J'ai bien peur d'être sorti sans mon portefeuille !

– Voyez-vous ça », fit-elle entre ses dents blanches.

J'insiste sur le fait qu'elle n'avait pas dit « Voyez-vous ça ? », ni « Voyez-vous ça ! », mais bel et bien « Voyez-vous ça. ». Avec un point à la fin. Sa voix n'était ni montée ni descendue. C'était un « Voyez-vous ça » poli, mais ferme, lapidaire, crispé, qui signifiait « Il ne va pas falloir trop se payer ma tête, mon coco. »

« Écoutez, c'est idiot, lançai-je. En réalité, je ne veux pas acheter une théière.

– Oh ! vraiment ?

– Non, je... Enfin, je suis juste venu vous *demander* une théière. »

Elle fronça les sourcils, les lèvres pincées, comme si je venais de cracher sur un cortège princier. Tout à coup, elle se frappa le front et s'écria :

« Ah ! mais vous êtes là pour l'annonce, n'est-ce pas ?

– C'est ça ! laissai-je échapper, aussi soulagé que si le docteur m'avait confirmé que j'étais en parfaite santé.

– C'est que ça m'embrouille, si vous ne dites pas pourquoi vous venez ! insista-t-elle.

– Eh bien... Oui, sans doute, mais l'annonce était curieusement rédigée, non ? »

Elle eut l'air piquée au vif.

« Il me semble qu'elle était parfaitement claire, au contraire. Des instructions très simples.

– Vu comme ça, oui, sans doute, admis-je de guerre lasse. Mais qui n'en disent pas beaucoup sur la personne qui l'a rédigée. Ce n'est pas vous, j'imagine ? L'annonce mentionne un gentleman...

– En effet. C'est que M. Banerjee n'aime pas la publicité inutile, et apprécie la discrétion. »

Banerjee. Bien. J'avais déjà un nom.

« Et hum... où se trouve ce M. Banerjee ?

– Il a son office à l'étage. On y accède par ici. »

Elle me désigna un pan de mur où pendait une carte de la France agricole.

« Par ici, répétai-je. Il faut passer par la France ? Ça va faire un peu long, non ?

– Vous êtes drôle. »

Elle venait encore de finir sa phrase par un point. Après des kilomètres d'articles, les signes de ponctuation, croyez-moi, je les visualise aussi à l'oral. Et là, c'était indubitablement, indiscutablement un point. J'aurais préféré n'importe quoi à un point. Même des points de suspension. Tout sauf ce point unique qui inversait le sens de sa phrase. « Vous êtes drôle. », ça voulait dire « Mais vous êtes absolument sinistre ! » (Avec un point d'exclamation, pour le coup.)

Derrière la carte se dressait un escalier qui, pour être bien entretenu, n'en était pas moins étroit et raide comme la nuque d'un *horseguard*.

« Je ne vous accompagne pas, me dit-elle. Mais une fois en haut des marches, vous vous débrouillerez. Soyez patient : M. Banerjee est occupé, à l'instant précis. Je vous souhaite bonne chance, monsieur.

– Toph, fis-je avec mon sourire le plus enjôleur.

– Toph ?

– Oui, c'est mon surnom. Le diminutif de Christopher. Tous mes amis m'appellent Toph.

– Ravie de l'apprendre. Bonne chance à nouveau, donc, *monsieur*. »

Elle tourna les talons, me laissant seul face à l'escalier et à mon ego bafoué.

Je gravis les marches deux à deux. Plus haut, le palier baignait dans la lumière pâlotte d'une fenêtre unique, au verre teinté de bleu. Sous celle-ci, un banc garni de coussins s'offrait aux visiteurs. Une table basse, devant le banc, présentait la presse du jour – ou plutôt, après un examen plus attentif, de la veille. Mes pas étaient amortis par une moquette cramoisie très épaisse, et je pensais donc ne pas avoir trahi ma présence. Je scrutai la pièce, et finis par remarquer une porte, si bien enchâssée dans la cloison que j'en distinguais à peine les contours. Je frappai, mais n'entendis aucune réponse. Alors, je tournai la poignée et entrai.

Deux paires d'yeux se fixèrent sur moi avant même que je n'aie franchi le seuil. Assis sur une chaise en métal dont le dossier me faisait face, un petit homme en costume sombre, chauve comme une douzaine d'œufs, s'était retourné dans ma direction et me dévisageait avec une expression d'effroi. Avant mon entrée, il devait être en discussion avec l'homme assis derrière le beau bureau en acajou qui les séparait. Celui-ci, à n'en pas douter, était le M. Banerjee que j'étais venu voir. Il portait un trois-pièces cintré, coupé à la perfection, avec de délicates rayures beiges et une pochette blanche dans la poche avant. Son col de chemise était défait, et n'accueillait aucune cravate. On aurait pu considérer séparément ses pommettes, son nez, ses lèvres ou son menton, et les trouver trop fins, ou trop marqués, ou que sais-je encore ; ensemble, cependant, tous ces éléments formaient une harmonie visuelle impeccable. Sans doute est-ce là que réside ce qu'on appelle le charisme. Le coin extérieur de ses grands yeux noirs – si noirs, en fait, qu'on ne distinguait pas l'iris de la pupille – retombait très légèrement, ajoutant un peu de douceur à un regard qui, sans cela, aurait pu sembler excessivement inquisiteur. Son nom offrait déjà un indice, mais ce premier contact me le confirma : M. Banerjee était d'origine indienne. Il avait la peau brune et les cheveux lisses – ici coiffés d'une raie centrale – et présentait une carrure un peu plus fluette que celle de l'Anglais moyen. (On parle bien sûr de l'Anglais moyen *bien nourri*, une espèce, du reste, de plus en plus rare dès lors que l'on s'éloigne du centre de Londres.)

Un capitonnage épais recouvrait la porte dont je tenais encore la poignée à la main ; voilà pourquoi aucun bruit de discussion ne m'était parvenu depuis le palier. À quoi ces deux hommes étaient-ils occupés ? Le crâne d'œuf, je le devinais, se trouvait dans la posture d'un client. Mais quel genre de services M. Banerjee pouvait-il bien fournir ? Était-ce un avocat, un notaire ? Je ne voyais rien dans la pièce qui pût trahir son activité. Le petit chauve s'épongea le front, et bredouilla :

« Monsieur Banerjee ? Je... Qui est cet homme ? Je tiens à la plus grande discrétion !

– J'entends bien, répondit Banerjee d'une voix grave, douce, un peu voilée. Mais je suis certain que ce gentleman est là pour une excellente raison. Que me vaut l'honneur de votre visite, monsieur... Monsieur ?

Oh... Carandini. Christopher Carandini. »

Je vis le crâne d'œuf tiquer ostensiblement en découvrant la consonance italienne de mon nom. J'avais déjà lu cette moue de dédain sur de nombreux visages avant le sien, et ne m'en offusquais plus.

« Monsieur Carandini, reprit Banerjee sur le même ton, puis-je me permettre d'insister ? Votre présence... »

Il parlait un anglais distingué, où n'affleurait qu'une vague pointe d'accent étranger. Où qu'il fût né, l'homme avait très certainement fait ses études en Angleterre. Tout en jetant un regard circulaire sur la pièce – on ne se refait pas – je répondis à la requête :

« Je suis navré de vous avoir dérangé. Je viens pour… l'annonce. »

Le petit homme chauve bondit sur sa chaise.

« Comment ? Monsieur Banerjee, votre "secrétaire" aurait pu dire à ce monsieur d'attendre ! C'est inqualifiable ! »

Je me courbai légèrement :

« En réalité, elle l'a fait. C'est moi qui ai pris la liberté d'ouvrir la porte, comme je n'entendais pas le moindre bruit. J'en suis vraiment navré. Je vais tout simplement vous laisser, et patienter dans l'antichambre. En m'excusant. »

Je m'apprêtais à tourner les talons, mais le maître des lieux m'arrêta :

« Monsieur Carandini… Vous venez pour le poste d'assistant, et j'ai besoin d'un assistant pour satisfaire la requête de M…. *Smith* ici présent. Je vous demande donc de rester. C'est d'ailleurs bien mieux ainsi : vous entrerez directement dans le vif du sujet. »

Le dénommé Smith – le diable s'il s'agissait de son vrai nom ! – était monté sur ressorts. Fébrile et blême, il s'écria :

« Mais enfin ! Comment pouvez-vous lui faire confiance ? Vous ne le connaissez même pas ! Monsieur Banerjee, je suis extrêmement déçu, et je vais devoir me passer de vos services. Et sachez que je ne recommanderai pas vos… »

Avec calme, Banerjee frappa son bureau du plat de la main ; et le claquement, inattendu, fit sursauter Smith. Il observa Banerjee avec un mélange de stupéfaction et de crainte, la bouche entrouverte dans une expression parfaitement grotesque. J'attendis la suite, amusé.

« Monsieur Smith, fit Banerjee, si vous êtes venu me trouver, c'est que vous n'ignorez rien de mes méthodes. »

Il s'exprimait avec douceur, mais l'autorité que dégageait son regard ne donnait pas envie de lui couper la parole. Il poursuivit ainsi :

« Vous savez donc que celles-ci sont pour le moins *atypiques*. En conséquence, je vous prie de respecter les règles : M. Carandini écoutera votre histoire jusqu'au bout, et m'assistera ensuite dans sa résolution. »

Smith, docilement, se rassit ; il demanda toutefois :

« Que s'est-il passé avec votre ancien assistant ?

– Il ne savait pas compter jusqu'à vingt-six, répondit Banerjee avec un sourire qui aurait fait passer La Joconde pour une hystérique. Maintenant, monsieur Carandini, si vous voulez bien vous assoir ? Il y a une chaise près de la porte. »

Je m'exécutai, et me laissai glisser dans l'ambiance curieuse de ce bureau. Les objets n'y manquaient pas : des étagères de livres en anglais, quelques bibelots, deux ou trois photographies... Toutefois, j'étais toujours bien en peine de deviner à quoi Banerjee occupait ses journées. Le secret pouvait-il se trouver derrière cette autre porte, à ma droite ?

« Monsieur Smith, auriez-vous la gentillesse d'expliquer, en détail cette fois, ce qui vous amène ? »

Smith me décocha un rictus mauvais, s'éclaircit la voix et commença.

« Eh bien... Comme je vous l'ai dit, l'établissement que je dirige est l'un des plus sûrs de Londres. Des personnalités importantes viennent confier leurs biens à nos bons soins. Notre système de coffres a été conçu selon les technologies les plus avancées. Certes, rien n'est inviolable, mais... aucun moyen conventionnel ne saurait compromettre l'intégrité de nos coffres et caisses.

« Et la dynamite ? » lançai-je.

Smith n'aurait pas eu l'air plus choqué si j'avais insulté sa famille sur trois générations.

« Monsieur, il en faudrait tellement que la moitié du quartier serait pulvérisé... et les voleurs avec ! Et dans l'affaire qui m'occupe, de toutes les manières, les choses se sont passées autrement. Il y a un mois, un gentleman du nom de Stuart Micklewhite, négociant en spiritueux, s'est rendu à notre agence dans le plus grand secret, avec une cassette. Celle-ci contenait un diamant. Et pas n'importe lequel, messieurs : je veux parler du *Pacha bleu*. »

Smith aurait pu en éclater d'orgueil. Il s'arrêta, les mains jointes comme s'il s'apprêtait à les frotter, et attendit que Banerjee ou moi-même poussions un cri de stupéfaction. Nous ne lui fîmes pas ce plaisir, mais cette pause me permit de faire un point sur ce que je savais de ce Micklewhite que Smith venait de citer. Dandy célibataire, héritier d'une compagnie familiale qu'il avait su faire grossir de manière considérable, homme à femmes, joueur invétéré... ses frasques agitaient tout Londres, tout comme ses dépenses spectaculaires. Je me rappelais qu'il avait fait l'acquisition de ce fameux diamant un an plus tôt aux enchères, déclenchant jalousies et admiration dans le monde des affaires.

Smith, crispé et probablement déçu par notre attitude neutre, tâcha de rebondir comme il put :

« Vous avez forcément entendu parler du *Pacha bleu* ? Une merveille tout droit venue de l'Empire ottoman. On dit que Soliman le Magnifique... »

Banerjee leva la main :

« Je vous en prie, monsieur Smith, ne nous embarrassons pas de détails. Poursuivez donc.

– Bien. Comme vous vous en doutez, M. Micklewhite désirait nous honorer de sa confiance en nous remettant le *Pacha bleu*. C'est que chez Tate & Mc... »

Il s'arrêta soudain, réalisant qu'il était sur le point – si ce n'était déjà fait – de nous dévoiler son véritable nom. Je notai tout cela dans un coin de ma tête. Je commençais du reste à mieux comprendre où je me trouvais : ce M. Banerjee devait être une sorte d'enquêteur privé. En cela, nos professions ne différaient peut-être pas tant. Je ne comprenais toujours pas, en revanche, la teneur de la petite annonce : quid de cette histoire de sommeil ?

Smith grommela quelque chose d'inintelligible et poursuivit son récit, de plus en plus agité.

« Bien que nous ne mettions jamais en doute la respectabilité de nos clients, nous avons dépêché immédiatement un de nos experts afin d'authentifier le *Pacha bleu*. Avec succès. Trois mille carats, vous rendez-vous compte ? Son prix dépasse le million de livres. »

Je me contentai de hocher la tête ; Banerjee, lui, ne fit même pas frémir une narine. À nouveau renfrogné, Smith ajouta :

« Une fois cette petite formalité accomplie, M. Micklewhite a replacé le diamant dans sa cassette, et nous a donné une autre clé. Nous avons, sans plus attendre, placé le *Pacha bleu* dans notre meilleur coffre. M. Micklewhite s'en est alors retourné à son domicile, après avoir signé les formulaires d'usage. »

Smith eut un air tellement abattu que j'eus une petite poussée de pitié pour lui.

« Trois semaines plus tard, gémit-il, nous avons trouvé au courrier une lettre anonyme nous informant que le *Pacha bleu* avait été volé. Comprenez bien que des lettres de menaces, nous en recevons fréquemment. Mais celle-ci allait plus loin qu'une menace : c'était la confession d'un crime *déjà* exécuté !

– Avez-vous conservé cette lettre, monsieur Smith ?

– Bien entendu. Je l'ai même ici. Tenez. »

Smith tira de son veston un papier plié en quatre. De ma place, je ne pouvais rien lire, mais je constatai toutefois que le message avait été tapé à la machine. Smith déclama à haute voix :

Le Pacha bleu *appartient à l'Empire ottoman depuis sa découverte ; rien ne justifie son vol par les barbares russes puis anglais. Aujourd'hui, nous avons rendu à l'Empire ce qui appartient à l'Empire : le* Pacha bleu *est retourné dans ses terres.*

Barbarossa

Banerjee se dandina sur sa chaise, les bras le long du corps, comme s'il cherchait à trouver un mystérieux point d'équilibre. Puis, il demanda :

« C'est très intéressant. Et je suppose que vous avez immédiatement vérifié si la lettre disait vrai.

– J'y viens, acquiesça Smith. Dès réception de ce document, nous avons inspecté notre coffre. Pour constater, de but en blanc, qu'il ne comportait aucune trace d'effraction.

– Pourriez-vous me décrire ce coffre ?

– En fait de coffre, je devrais plutôt parler d'une chambre forte. À l'intérieur de celle-ci se trouvent cinq armoires métalliques, qui comportent neuf compartiments. Un peu comme dans une consigne de gare. Mais la différence, c'est que chacun de ces compartiments donnerait du fil à retordre au cambrioleur le plus aguerri. Quant à la porte de la chambre forte, elle dispose d'un blindage de près d'un mètre d'épaisseur. L'alliage est rigoureusement impossible à percer ! Et la précision du mécanisme de la serrure est telle que pour trouver la combinaison, il faudrait des jours, voire des semaines, d'essais ininterrompus ! »

Banerjee, l'air malicieux, s'enquit :

« J'imagine que la fiabilité de vos employés est absolue ? »

Un afflux de sang dans les oreilles de Smith lui donna un air parfaitement ridicule. La main sur le cœur, les yeux roulants, le banquier déclara :

« Monsieur Banerjee, je recrute moi-même chacun de nos employés, avec une méticulosité que j'estime exempte de reproches. Il est impensable que le voleur puisse être...

– Il y a donc bien eu vol ? » le coupa Banerjee.

Smith baissa la tête, contrit.

« Oui, il y a eu vol. Hélas ! Quand nous avons ouvert la chambre forte, le compartiment du *Pacha bleu* était toujours verrouillé, et ne portait, lui aussi, nulle trace d'effraction. La cassette était bien là. Mais vide. »

Banerjee se dodelina à nouveau. Il semblait amusé plutôt que contrarié par le problème, ce qui, je le vis sans mal, déplaisait fortement à Smith.

« Nous avons donc un voleur qui s'est emparé d'un objet, sans effraction apparente, et a ensuite pris soin de tout refermer. Est-ce bien cela ?

– C'est cela, oui, concéda Smith avec cette impatience polie qui résume à elle seule tout l'esprit britannique.

– Après avoir tout refermé, le voleur vous a ensuite adressé une lettre. Sans quoi, on peut le penser, vous n'auriez eu connaissance de l'effraction que bien plus tard.

– En effet. Pas avant que M. Micklewhite ne récupère son bien, en vérité. Comment aurions-nous pu nous douter ? »

Banerjee se tourna pour regarder par la fenêtre. Si longuement, en fait, qu'on aurait pu croire qu'il avait oublié ma présence et celle de Smith.

« Monsieur Banerjee ? finit par s'inquiéter le banquier. Quelque chose ne va pas ? »

Banerjee ne tint pas compte de la question, et poursuivit son observation encore quelques secondes. Que pouvait-il bien scruter ainsi ? En tous les cas, il ne chercha pas à s'en expliquer quand, à nouveau, il fut parmi nous :

« J'ai encore besoin de vous poser quelques questions, monsieur Smith. Avez-vous apporté la cassette vide avec vous ?

– Oui, confirma Smith. À tout hasard. Mais sauf votre respect, je ne pense pas qu'elle vous apprendra grand-chose. Elle non plus ne comporte aucun signe de forçage. Nous l'avons examinée à la loupe : la serrure est intacte, il n'y a pas une seule rayure.

– Était-elle fermée, elle aussi, quand vous avez procédé à l'inspection ?

– Oui. Je sais que cela peut sembler incroyable, mais nous l'avons trouvée exactement comme nous l'avions laissée. À ceci près, bien sûr, que le *Pacha bleu* n'y était plus. »

Les yeux mi-clos, Banerjee déclara :

« Je ne doute pas de vos dires. Mais avant que vous me montriez la cassette... M. Micklewhite est-il au courant du vol ? »

Smith en suffoquait.

« Oui, nous n'avons pas eu d'autre choix que de le prévenir. C'est la politique de notre établissement. Je... Auriez-vous un verre d'eau ?

– Non, navré. Dites-moi, monsieur Smith... Quelles pourraient être les retombées pour votre établissement si le diamant n'était pas retrouvé ? »

Accablé, Smith laissa échapper un soupir à fendre l'âme.

« Il n'y aurait aucune retombée financière directe : le *Pacha bleu* est assuré pour plus d'un million de livres auprès d'une firme respectable. Mais notre image de marque s'en trouverait terriblement ébranlée. Volés dans notre propre établissement par quelque bandit de grand chemin... mmm, turc, semble-t-il !

– Turc ?

– Barbarossa. C'était un corsaire ottoman du XVIe siècle. Vous l'ignoriez ?

– Oui. De même que vous ignorez sans doute vous-même qui est Ilango Adigal. Nous avons chacun nos cultures.

– Sans doute, sans doute. Mais... Vous rendez-vous compte ? L'impact pour moi...

– Naturellement. Le préjudice moral est énorme, je le conçois bien.

– Voilà pourquoi, par le bouche-à-oreille, j'en suis venu à m'adresser à vous. Voyez-vous, dans un premier temps, nous ne tenons pas à ce que la police ait vent de l'affaire. Je n'ai guère confiance en sa... discrétion. »

Banerjee ne releva pas.

« Monsieur Smith, à présent, puis-je examiner la cassette ?

– Oui, la voici. »

Smith plongea la main dans une sacoche de cuir, et en tira un élégant coffret au couvercle plat et en bois sombre, large de dix pouces environ et moitié moins haut. Il était maintenu fermé dans son tiers supérieur par une serrure en apparence solide, bien que de facture assez ordinaire. Sous celle-ci, des décorations en ivoire illustraient une scène bucolique où s'ébattaient des oiseaux et un gros chien. Banerjee fit tourner le coffret devant lui, et après l'avoir contemplé, il fit jouer la sûreté à l'aide de la clé que Smith venait de lui tendre. À l'intérieur ne s'y trouvait qu'un coussin de soie bleue, orphelin de son joyau.

Soudain, je vis Banerjee se raidir et porter la main à sa nuque, comme si une guêpe l'avait piqué. Il ferma ses yeux, tout à coup vitreux, alors que le haut de son corps s'agitait de petits soubresauts. Smith, les yeux écarquillés, n'en eut pas l'air rassuré :

« Monsieur B... Banerjee ? Est-ce que tout va bien ? »

L'intéressé attendit encore un moment avant de répondre, sans ouvrir les yeux :

« Parfaitement bien. Et maintenant, monsieur Smith, je vais vous demander de sortir et d'attendre dans la pièce d'à côté.

– Je vous demande pardon ? Et pour quelle raison ?

– Parce que, monsieur Smith... il est temps pour moi d'aller dormir. »

II

Le domaine du rêve

La pièce attenante au bureau de Banerjee occupait une surface un peu plus vaste, et présentait une ambiance plus exotique : tentures, rideaux et objets d'origine indienne, odeurs d'encens... Tandis que je tâchais de la détailler, je vis Banerjee s'assoir sur le bord d'un lit étroit et sans drap, dont il tâta le moelleux. Je l'avais suivi ici sur ses ordres, sous les protestations du pauvre M. Smith – auquel, j'en étais alors persuadé, il était en train de jouer un bon tour. Bientôt, je dus me rendre à l'évidence : il ne plaisantait pas, et comptait *réellement* dormir. Quel genre d'individu pouvait bien réagir de la sorte ?

« Asseyez-vous sur le tabouret près du lit, monsieur Carandini », me commanda Banerjee.

J'obéis, trop curieux de la suite pour laisser mes principes prendre le dessus.

« Monsieur Banerjee, commençai-je... Qui êtes-vous au juste ? »

Il plissa les yeux :

« Qui je suis... Est-ce là une question importante ?

– Eh bien, je le crois, oui !

– J'imagine que si vous me la posez, c'est que *vous*, vous savez qui vous êtes. Qui vous êtes *vraiment*. Est-ce bien le cas, monsieur Carandini ? »

J'étais totalement déconcerté par cette réponse. Était-ce cela qu'il cherchait ? Un souffre-douleur pour ses élucubrations philosophiques ? Je protestai :

« Monsieur Banerjee, excusez-moi, mais... je suis venu en réponse à une annonce ; et après ce à quoi je viens d'assister, il me semble que vous êtes une sorte de... détective privé? Je ne comprends toujours pas ce que vous attendez de moi, mais avouez que cela mérite quelques explications, non?

– Ah oui... Je peux vous dire ce que je suis... de l'extérieur, en quelque sorte. Ma fonction, ma place dans la société... Cela ne vous dira pas qui je suis vraiment. Mais vous saurez ce que je fais ici, et pourquoi.

– Je vous avoue, *sir*, que cela serait un bon début. »

Banerjee tira une montre de sa poche de veste, puis l'y replaça.

« Le temps nous est compté. Je vais donc vous dire ce que vous avez à savoir *pour le moment*. Êtes-vous confortablement installé?

– Ma foi... suffisamment pour vous écouter, je pense.

– Et possédez-vous une montre?

– Une... Oui, j'ai une montre à gousset. Pas aussi belle que la vôtre, toutefois.

– Si elle donne l'heure, c'est l'essentiel, monsieur Carandini... J'exerce effectivement, et comme vous l'avez deviné, la profession de détective privé. Toutefois, mes méthodes vous sembleront très certainement inhabituelles. »

Je n'avais aucun mal à le croire.

« Voyez-vous, poursuivit-il, je ne suis pas un esprit déductif. Je ne sais pas interpréter le réel. J'ai besoin, pour le comprendre, d'un intermédiaire. Un intermédiaire qui réarrange la réalité d'une manière symbolique, dont je perçois mieux les mécanismes. »

Je secouai la tête.

« Monsieur Banerjee, pardonnez-moi, mais... je ne crois pas être un idiot et pourtant, je ne comprends pas un traître mot de ce que vous racontez. Des symboles, vous dites? Quel rapport avec l'enquête d'un détective? »

Le sourire que Banerjee m'adressa, tellement entier, me fit ressentir un indéfinissable bien-être.

« Je perçois que vous êtes un homme très pragmatique, monsieur Carandini. Il n'y a aucun mal à ça. Alors, je vais me montrer pragmatique à mon tour. Pour connaître la solution à une énigme, j'ai besoin *de la rêver*.

– Pardon ? m'écriai-je sans pouvoir retenir un pouffement. De la rêver ? Mais enfin, que racontez-vous ? »

Un fou ! C'était, peut-être, aussi simple que cela : j'avais répondu à l'annonce d'un forcené, qui cherchait une pauvre cloche pour donner corps à son délire. Mais j'étais allé trop loin pour faire demi-tour, désormais. Je fis mentalement mes adieux à un emploi stable, et écoutai la suite de l'explication.

« Je suis issu d'une famille de brahmanes. Et je tiens de celle-ci certains savoirs anciens qui, s'ils n'ont rien de particulièrement complexe, échappent à la compréhension des Occidentaux. N'y voyez d'ailleurs aucune vantardise de ma part : nos peuples n'envisagent pas le réel de la même manière, voilà tout. »

Il s'assura de mon attention, et continua :

« Je vais tâcher d'être le plus clair possible, monsieur Carandini. Prenons l'affaire qui nous intéresse aujourd'hui. J'ai eu le point de vue de M. Smith ; il y a aussi mon propre point de vue. Et sans doute le point de vue de M. Smith est-il lui-même le fruit du mélange des points de vue de ses collaborateurs. Au final, la réalité ne nous est pas offerte par une seule voix, mais par un véritable chœur. C'est comme si tout le monde nous criait *sa* vérité en même temps. Et cela peut être assourdissant. Me suivez-vous ?

– Je pense, oui. J'essaie, en tous les cas.

– La technique que je pratique me permet, en rêvant, de transformer toutes ces voix en une seule. La vérité m'apparaît alors beaucoup plus clairement. »

J'étirai mes jambes.

« Que je vous comprenne bien. Vous allez vous endormir, faire un rêve, et le nom du voleur du *Pacha bleu* va se révéler à vous comme par magie ? Est-ce bien cela ? »

Banerjee m'adressa un sourire à la fois amical et un peu condescendant.

« Non, monsieur Carandini, je ne suis pas un magicien. Les devins n'existent pas, et mon rêve ne me permet pas d'apprendre des choses que je ne sais pas. Il me permet, en revanche, d'organiser ce que je sais déjà, et de mettre en lumière des éléments que mon conscient aurait laissés de côté. Notre esprit tend à s'attarder sur ce qui se remarque le plus ; mais la solution, elle, se situe souvent dans les petites choses. Les détails. Les ombres. Mes rêves rétablissent l'importance de ces "petites choses". »

Je claquai des mains.

« Admettons. Vous rêvez, vous comprenez. Mais comment savoir que le moment est venu ? Après tout, si je vous suis bien, il vous faut collecter un certain nombre d'indices, comme tout le monde. Même si leur importance ne vous apparaît pas immédiatement, il faut bien que vous en ayez connaissance !

– Certes. Vous avez dû remarquer un changement d'attitude de ma part, il y a quelques minutes, quand nous étions en compagnie de M. Smith ? »

Je réfléchis.

« Attendez voir... Oui, j'ai cru qu'une guêpe vous avait piqué ! »

Il acquiesça.

« C'est cela. Quelque chose en moi sait que la solution est là, et me le signale.

– Excusez-moi, mais... comment ?

– Pourquoi voulez-vous une explication ? C'est comme cela, voilà tout. Cela s'est toujours passé ainsi, et il n'y a pas de raison que cela change. Je suppose que parfois, vous sentez que vous allez tomber malade ? Votre gorge pique...

– Oui mais...

– Votre corps vous envoie un signal. C'est pareil ici. »

Je frottai mon visage entre mes mains, puis rétorquai :

« C'est absolument fascinant. Fascinant ! Maintenant, permettez-moi de vous demander en quoi vous avez besoin d'un assistant. Si vous n'avez qu'à dormir, ma foi... Suis-je vraiment utile ? Moi ou qui que ce soit d'autre, d'ailleurs... »

Il ferma un instant ses paupières qui, plus sombres que le reste de sa peau, semblaient presque fardées.

« Le fait est qu'il ne suffit pas de s'endormir. Je suis un humain, comme vous. Je dors la nuit, de préférence, d'un sommeil tout ce qu'il y a d'ordinaire. Le sommeil qui nous intéresse en ce moment est d'une tout autre nature. C'est, diriez-vous... une transe ? Une transe qui demande, pour que j'y accède, que certaines paroles soient prononcées. Et il convient également que mon rêve dure moins de vingt-six minutes. Jamais une de plus.

– Sans quoi ?

– Sans quoi, il peut devenir difficile... voire impossible de me réveiller. »

Je réfléchis à tout ce qui venait d'être dit. Banerjee ne me faisait pas l'impression d'être l'un de ces charlatans qui vous extorquent quelques shillings après avoir déblatéré les platitudes que leur inspire le creux de vos mains. Des hypocrites, des affabulateurs, des menteurs de grand chemin, j'en ai connu, et à la pelle ; mais Banerjee était sincère, j'en aurais parié tout ce que je portais sur le dos. Pour autant, cela ne garantissait en rien sa santé mentale.

« Avez-vous l'oreille musicale, monsieur Carandini ? »

Cette nouvelle question me prit de court une fois encore.

« Je... Oui, je pense que oui, ma foi. Pourquoi ?

– Je vous ai dit que pour accéder à ma transe, j'avais besoin d'entendre certaines paroles.

– Oui, vous venez de me le dire, en effet. Et ?

– Il ne suffit pas de parler : il faut chanter aussi. Mais rassurez-vous, je vais vous aider. Répétez ceci après moi :

Raghupati raghava rajaram »

24

Il avait déclamé ces quelques syllabes sur un air à la fois lancinant et mélodieux. J'ouvris la bouche, mais à peine le premier mot prononcé, je m'interrompis :

« Écoutez, monsieur Banerjee... J'apprécie la plaisanterie, mais...

– Ce n'est pas une plaisanterie, monsieur Carandini, même si je ne peux vous en vouloir de voir les choses de cette manière. Mais je devine aussi que vous êtes quelqu'un de curieux, et je sais que vous parviendrez à passer outre la gêne que cette situation vous inspire. Je vous en prie, répétez après moi. »

Je pris une grande bouffée d'air, comme si je m'apprêtais à sauter d'un plongeoir. Puis, chassant mentalement les vagues de honte qui m'assaillaient, je psalmodiai :

« *Raghupati raghava rajaram*

– Bien ! Il faudrait y mettre davantage d'entrain, mais c'est un début. Maintenant : *Patita paavana sitaram*

– *Pati... Patita paavana sitaram*

– Parfait ! Il est pourtant vrai que vous avez une certaine qualité de musicien. C'est très bien. *Sundara vigraha meghashyam.* À vous ! »

Ce petit manège dura plusieurs minutes. Smith, dans la pièce d'à côté, nous entendait-il ? Et si c'était le cas, avait-il été tenté de fuir ? Je l'aurais compris. À l'issue de cette répétition, j'avais noté phonétiquement une dizaine de vers sur mon calepin. Et curieusement, la mélodie d'ensemble n'eut aucun mal à s'imprimer dans ma mémoire. Banerjee avait l'air satisfait.

« Tout cela est bien beau, fis-je, et après ? Je vais chanter ça, vous allez vous endormir ?

– C'est exact.

– Et ensuite, je vais surveiller que vous ne dormez pas plus de vingt-six minutes...

– ... et au moment où je vous le dirai, vous devrez chanter à nouveau, en partant du dernier vers pour remonter au premier.

– Quoi ? Attendez, voilà peut-être un peu trop d'informations à la fois. Chanter à partir de la fin, pourquoi pas, j'y arriverai sans doute. Mais quand vous me direz quoi ? Et comment ? N'êtes-vous pas supposé dormir ? »

Il eut un geste d'apaisement.

« Certes. Mais je peux communiquer avec vous, pourtant. Imaginez seulement que je vois quelque chose que vous, vous ne voyez pas, et que je vous le décris. Mon sommeil est une promenade vers l'ailleurs, mais j'ai la conscience de celui-ci. »

Je grattai dans un coin de mes souvenirs, et eus soudain l'étincelle :

« Il me semble bien avoir lu quelque chose sur le sujet. Il y a un livre... paru il y a une cinquantaine d'années, je crois... Laissez-moi retrouver le titre. *Les Rêves et... et...*

– *... les moyens de les diriger*, par Léon d'Hervey de Saint-Denys, oui. Je connais bien sûr cet ouvrage très respectable. En réalité, ce Français ne faisait que retrouver, grâce à la logique et au savoir propres aux Occidentaux, ce que les miens n'ont jamais oublié. L'avez-vous donc lu ?

– Oh ! des passages, cités dans un article. Je ne me souviens de rien avec précision. Je n'étais pas né à sa sortie, évidemment, mais le livre avait fait grand bruit.

– M. de Saint-Denys écrivait notamment ceci : "Ni l'attention ni la volonté ne demeurent nécessairement suspendues pendant le sommeil." C'est là la clé de ma technique, en vérité. »

Étais-je rassuré de savoir que les élucubrations de Banerjee avaient trouvé écho dans des travaux plus rationnels, ou du moins, plus conformes à l'idée qu'un Européen pouvait se faire de la science ? Peut-être... Mais mon scepticisme ne s'en trouvait pas totalement atténué.

Banerjee s'éclaircit la voix, puis déclara :

« Maintenant, peut-être pourrions-nous procéder ? C'est que M. Smith doit s'impatienter. »

Je hochai la tête. Banerjee me demanda alors d'allumer une lampe à huile qui reposait sur une desserte, puis de tirer les rideaux. Quand la pièce fut plongée dans la pénombre, je repris ma place sur le tabouret. Banerjee, lui, s'était déjà allongé, les bras le long du corps et les paupières fermées.

«Vous devez tenir ma main droite, monsieur Carandini.»

Il ne manquait plus que ça.

«De quelle manière?» demandai-je de guerre lasse.

Il leva le bras, le coude reposant toujours sur le matelas. Quand mes doigts entrèrent en contact avec les siens, sa peau me sembla anormalement chaude, comme s'il était fiévreux. Sa main serra très légèrement la mienne.

«C'est parfait ainsi. Le monde des rêves cherche parfois à garder ses visiteurs. Et dans ce cas, il faut une petite impulsion du réel pour les ramener à la surface. Comme un scaphandrier que l'on remonterait, voyez-vous?

– J'imagine que oui.

– En ce cas, je pense que vous n'avez plus à savoir quoi que ce soit d'autre. Le moment est venu.»

Je fis l'erreur d'imaginer la scène depuis un point de vue extérieur: moi, au chevet de cet Indien fantasque, lui tenant la main et m'apprêtant à entonner un chant dans une langue à laquelle je n'entendais rien. Cette vision me taquina un instant, mais je finis par la chasser. Le ridicule ne tue pas, dit-on; du moins, tant qu'on fait en sorte de ne pas trop l'ébruiter. Que risquais-je, après tout?

Je déglutis, pris une bouffée d'air, et me lançai:

Raghupati raghava rajaram
Patita paavana sitaram
Sundara vigraha meghashyam
Ganga tulasi salagram

Mon chant était lent, détaché, conformément à ce que m'avait recommandé Banerjee. Dès le quatrième vers, je sentis une crispation dans son avant-bras puis, immédiatement après, un relâchement. Derrière ses paupières, on pouvait deviner ses yeux s'agiter. J'entamai alors le deuxième couplet :

Bhadra girishwara sitaram
Bhakata janapriya sitaram
Janaki ramana sitaram
Jaya jaya raghava sitaram

Plus rien ne se passait.

Banerjee, pour autant que je pouvais en juger, dormait. Comme n'importe qui. Je lui avais chanté une berceuse, et maintenant, il ne lui restait plus qu'à ronfler ; je pouvais me vanter d'un travail bien fait – j'aurais certainement eu du succès dans une nurserie – mais ce n'était toutefois pas exactement ce que j'espérais. J'attendis encore un peu, impatient, mais aussi un rien honteux d'avoir, malgré tout, cru à ce qui ne pouvait être, avec le recul, qu'une supercherie ridicule.

« Bien, murmurai-je pour moi-même, je vous laisse vous reposer, monsieur Banerjee. Faites de beaux rêves et bon courage avec votre client. Adieu ! »

Mais alors que j'allais me dégager de sa main, ses doigts renforcèrent soudain leur étreinte. Une voix s'éleva du lit, mais elle différait de celle que je connaissais à Banerjee ; on aurait dit qu'elle résonnait depuis le fond d'une grotte. C'était pourtant bien mon hôte qui parlait, même si ses lèvres bougeaient à peine.

« Êtes-vous toujours près de moi ? » demanda Banerjee plus distinctement.

Il ne parvenait pas à garder un timbre uniforme ; sa voix bondissait vers les aigus, puis chutait dans les graves, et je la sentais tantôt proche, tantôt distante. Sans y réfléchir, je serrai sa main un peu plus fort, puis balbutiai :

« O... oui. Et vous ? Enfin... Je vois bien que vous êtes là, mais... Excusez-moi de poser cette question : êtes-vous en train de dormir ?

– Oui, affirma Banerjee d'un ton qui m'évoquait toujours autant une scie musicale.

– Et vous... vous faites un beau rêve ?

– Tout est noir. »

Je ne savais définitivement plus quoi penser. Une partie de moi tenait encore à être convaincu ; l'autre s'opposait farouchement à cette mascarade. J'attendis, une minute, puis deux. Ou, du moins, c'est ainsi que j'évaluais le temps qui s'était écoulé, car j'avais purement et simplement manqué à mon devoir numéro un : vérifier que tout ceci ne durait pas plus de vingt-six minutes. Je sortis ma montre de ma poche, et la posai sur ma cuisse. En tout, il n'avait pas dû s'écouler plus de cinq minutes. La trotteuse accomplit encore deux tours de cadran, durant lesquels Banerjee demeura aussi inerte qu'une bûche. Puis, à nouveau, il me parla :

« Le sol est très mou. J'ai du mal à marcher.

– Mou de quelle manière ?

– Je suis déjà tombé plusieurs fois, dans le noir. Le sol est doux, soyeux, mais je m'y enfonce inexorablement. Je sens qu'il va bientôt m'avaler.

– Des sables mouvants, peut-être ? Mais vous risquez de vous étouffer ! Il faut que je vous réveille ! »

J'ignorais pourquoi j'avais dit une chose pareille. Après tout, il ne s'agissait que d'un rêve, et on ne meurt pas, dans un rêve. Aux dernières nouvelles, du moins. Je me ravisai, et demandai :

« Vous allez toujours bien ?

– Oui, je glisse, je tombe.

– Vous tombez ?

– Je suis en train de passer à travers le sol. Le plancher a craqué.

– Quel plancher ? Vous me disiez que le sol était mou ? Je ne comprends plus rien.

– Il était mou et lisse. Je me suis enfoncé à travers. Et j'ai rencontré un plancher. Je suis passé à travers aussi.

– Si vous le dites... Et c'est comment, là où vous êtes, maintenant ? Sauf si vous tombez toujours, bien sûr. Je ne voudrais surtout pas gâcher votre chute. »

Banerjee ne répondit pas immédiatement. Je consultai la montre : nous avions encore du temps devant nous.

« Il y a de la lumière, maintenant, annonça Banerjee.

– Vous m'en voyez ravi. Il fait jour ?

– Non. Je suis enfermé dans une sorte de geôle. Mais de la lumière me parvient par une toute petite ouverture. Je crois que je dois aller vers elle.

– Mais je vous en prie, fis-je d'un ton las. »

Bientôt, je n'eus plus pour compagnie que le tic-tac de ma montre. La main de Banerjee était moins chaude, à présent, pas davantage que la mienne en tous les cas. Devais-je m'enquérir de ce qui se passait ? Je pris le parti de la patience, et une autre minute fila. Finalement, Banerjee s'exprima à nouveau :

« Je ne peux approcher la lumière.

– Pourquoi ?

– Quelque chose m'en empêche.

– Quel genre de chose ?

– Un loup. »

Réfrénant ma propension naturelle au sarcasme, je tâchai de formuler ma question suivante dans les termes les plus neutres.

« Un loup, dites-vous. Je suppose qu'il est menaçant ?

– Il refuse de me laisser approcher la lumière.

– Il montre les crocs ?

– Il ne peut pas. Il tient quelque chose dans sa gueule. Mais je l'entends grogner et, quand je fais un pas, il s'avance dans ma direction. Quand je vous parle, également.

– Quand vous me… Dans votre rêve, là, vous êtes en train de me parler ? Et moi, je suis où ?

– Votre voix résonne dans ma tête. Mais moi, pour communiquer avec vous, je dois parler.

– Vous ne pourriez pas juste *penser* ?

– Dans ce cas, vous ne m'entendriez pas. »

Il était sans doute inutile de chercher à argumenter ou déceler la moindre logique. Je jetai un coup d'œil à ma montre, et constatai que le temps s'était accéléré. Je pensais que les vingt-six minutes seraient amplement suffisantes – pour quoi, au juste ? – mais en réalité, il convenait de rester vigilant.

« Revenons-en à votre loup, fis-je. Voyez-vous ce qu'il tient dans sa gueule ?

– Il faudrait que je m'approche un peu plus pour cela. Je ne vais pas pouvoir vous parler pendant quelques instants, il faut être prudent.

– Faites donc. »

J'attendis. Vingt minutes s'étaient écoulées, à condition toutefois que mes estimations initiales fussent correctes ; il restait une marge d'erreur, et je commençais à m'en inquiéter.

Quand Banerjee se remit à parler, installé que j'étais dans l'attente et la torpeur, j'en sursautai presque.

« J'ai vu ce que tient le lion.

– Le *lion* ? m'exclamai-je. Vous me parliez d'un loup, il y a quelques minutes !

– C'est un lion, désormais. »

Après tout, cela n'aurait pas été la première fois qu'un rêve se faisait le théâtre de telles métamorphoses. Combien de fois avais-je rêvé tenir dans mes bras une créature exquise, pour me retrouver, un battement de cils plus tard, étouffé par l'intendante de mon pensionnat.

– Bien, monsieur Banerjee, c'est donc un lion, à présent. Et que tient-il donc ?

– Une énorme clé. Je l'avais prise pour un os, ou une branche. Mais il s'agit bien d'une clé. Sur laquelle s'est posé un oiseau.

– Vous ne pouvez pas essayer de la lui prendre ?

– Je ne crois pas, il semble farouchement décidé à conserver la clé dans sa gueule. Elle aussi vient de changer. Elle me semble plus longue.

– Ah... Est-ce... une bonne chose ?

– Je ne sais pas. »

À nouveau, le silence. Je serrais une main bien froide, désormais ; la température de Banerjee n'avait pas cessé de chuter depuis le début de cette séance. L'heure tournait, aussi demandai-je :

« Dois-je vous réveiller, monsieur Banerjee ?

– Cela serait souhaitable, oui. Je crois que plus rien ne se produira, maintenant. Ma situation n'évolue plus. »

J'entamai alors le chant du réveil. Mais après trois vers, je m'aperçus que j'avais commencé par le début, contrairement à ce qui m'avait été demandé. Banerjee était aussi froid qu'un pain de glace – de plus en plus, en fait – et la panique s'empara de moi. Je fermai les yeux, et tâchai de me concentrer. Cela ne pouvait pas être si difficile d'égrener les vers à partir de la fin.

Ganga tulasi salagram...

Non, je n'y étais pas : il s'agissait là du dernier vers de la première strophe. Déjà vingt-quatre minutes ? Comment était-ce possible ? Mon cerveau, sous le coup de l'émotion, s'était grippé. Je m'imaginais tout à coup en train de répondre aux questions de la police, un cadavre gelé à côté de moi : « Je suis désolé, il ne s'est pas réveillé parce je n'ai pas chanté à partir de la fin. »

Finalement, je rassemblai ce qu'il me restait de raison, et m'élançai :

Jaya jaya raghava sitaram
Janaki ramana sitaram
Bhakata janapriya sitaram
Bhadra girishwara sitaram

C'était bien cela. Dès que j'eus prononcé ces paroles, une vague tiède se répandit dans la main de Banerjee. Je poursuivis, un peu rassuré, avec la seconde strophe. Chaque mot ramenait Banerjee un peu plus près de la surface de l'éveil. Et à peine avais-je fini mon chant que je le vis se cambrer, puis ouvrir les yeux. Le regard fixe, il paraissait totalement ignorer ma présence, même si sa main était encore dans la mienne. Mais bientôt, il tourna la tête vers moi, et son visage s'ouvrit.

« Combien de temps ? » me demanda-t-il tout de go.

Je jetai un coup d'œil rapide à ma montre.

« Un peu plus de vingt-cinq minutes.

– Bien, je vous remercie, dit-il. Vous avez été exemplaire. »

Il bondit sur ses deux pieds comme s'il avait été éjecté du lit par un ressort, ajusta son gilet et sa veste et, une fois devant le miroir, il passa une main dans ses cheveux pour se recoiffer.

« Ça ne nous a pas trop aidé, n'est-ce pas ? fis-je sans bouger du tabouret.

– De quoi parlez-vous ?

– De quoi je parle ? Mais de ce qui vient de se passer ! Votre rêve…

– Mon rêve était limpide », rétorqua-t-il sans passion.

Je fronçai les sourcils.

« Limpide ? Il n'avait ni queue ni tête, oui ! Écoutez, je… »

Il ne me laissa pas finir.

« Voudriez-vous m'accompagner ? Il est temps que nous livrions à M. Smith la solution de son mystère. »

Que pouvais-je donc faire, si ce n'était me taire et le suivre ?

III

« De plus en plus bizarre », disait Alice...

Rarement j'avais vu qui que ce soit afficher un air aussi dérouté que Smith. C'était un homme qui, au quotidien, et malgré son physique peu imposant, devait user de sa position hiérarchique pour exercer une certaine autorité. Dans ce petit réduit, privé de ses repères, il devait s'en remettre au bon vouloir d'un individu qui, trente minutes plus tôt, s'était excusé pour aller dormir.

« Avez-vous... progressé ? demanda-t-il avec lassitude.

– Oui, bien entendu, lui répondit Banerjee avec assurance, tout en s'asseyant à son bureau.

– Que voulez-vous dire ? Auriez-vous déjà une piste ?

– Monsieur Smith, vous êtes venu me trouver pour que je vous aide à découvrir ce qui est arrivé à votre diamant. Si j'ai accepté, c'est parce que je m'estimais à la hauteur de cette tâche. Il est donc bien naturel que je vous livre, à présent, ce que vous êtes venu chercher. Monsieur Smith... pourriez-vous me confier à nouveau le coffret ?

– Pardon ? Oh ! oui, évidemment. Le voici. Avec la clé. »

Banerjee le plaça devant lui et l'ouvrit.

« Quand M. Micklewhite est venu vous trouver, j'imagine qu'il se trouvait exactement dans cette position, n'est-ce pas ? L'arrière du coffret dirigé vers vous ?

– Eh bien... je suppose que oui, en effet, convint Smith.

– Ce qui signifie que vous ne l'avez pas vu ouvrir le coffre. »

Smith s'agita sur son siège.

« Mais bien sûr que si ! Il était face à moi, comme vous l'êtes en ce moment ! »

Banerjee sourit.

« Monsieur Smith, quel nombre suis-je en train de former avec les doigts de ma main droite, en ce moment ? »

Smith plissa les yeux, grogna, et répondit :

« Je ne peux pas voir, le coffre est devant votre main.

– C'est précisément ce à quoi je voulais venir. Vous n'avez pas pu voir la main de M. Micklewhite actionner la serrure.

– Et alors ? Il l'a bien ouverte, au final !

– Il a bien ouvert une serrure, oui. Mais peut-être pas celle à laquelle vous pensez. »

Banerjee vit pivoter le coffre d'un demi-tour, le coussin vide tourné vers Smith.

« Que voyez-vous, monsieur Smith ?

– Pardonnez-moi, monsieur Banerjee, mais... je vois le coffre que je viens de vous confier. Que pourrais-je voir d'autre ?

– Regardez mieux. »

Smith avait probablement épuisé ses dernières ressources d'indulgence, et la fatigue aidant, le vernis de sa politesse hypocrite se craquelait.

« Monsieur Banerjee, si vous avez quelque chose à me dire, je vous prie de me le dire tout de suite. Je n'ai pas envie de jouer aux devinettes.

– Comme vous voudrez, acquiesça Banerjee. Je ne faisais que vous exprimer les étapes de mon cheminement, mais nous pouvons effectivement passer immédiatement à la conclusion.

– Qui est ?

– Que le diamant n'a jamais quitté ce coffret. »

J'avais l'impression que l'on venait d'anesthésier Smith. Tous les muscles de son corps s'étaient relâchés d'un coup. Réduit à l'état de pudding, l'œil vitreux, il n'avait plus qu'un filet de voix :

« Je... je ne comprends pas ?

– Le diamant est là. Vous ne le voyez pas, mais croyez-moi, il n'a pas bougé de sa place.

– Vous êtes fou, murmura Smith. Complètement fou… »

Ces allégations – auxquelles, sur l'instant, je n'étais pas loin de souscrire – n'entamèrent nullement l'aplomb de Banerjee.

« Je puis vous assurer que non. Regardez bien. »

Banerjee tourna le coffret de trois quarts, et approcha la main de la décoration en ivoire. Il posa son index sur la partie représentant le chien, appuya, et après un petit tâtonnement, glissa le doigt vers le bas. La décoration canine suivit le mouvement, dévoilant une autre serrure.

J'en étais bouche bée ; quant à Smith, il était à deux doigts de se baisser pour ramasser sa mâchoire.

La serrure cachée se trouvait exactement à la demi-hauteur du coffret, et elle était plus petite – et aussi plus moderne – que la première.

« Mais… »

Ce « mais », Smith le répéta beaucoup durant les minutes suivantes. Sur des tons, des modes, et des longueurs variés, qui n'excluaient toutefois pas une certaine monotonie. Quand il revint à un vocabulaire plus riche, ce fut pour dire :

« Monsieur Banerjee, cette serrure…

– … donne accès, j'en suis sûr, à une autre section du coffret. La charnière en est habilement dissimulée, mais il n'y a pas de doute.

– Et si nous l'ouvrons…

– Nous trouverons le *Pacha bleu*, oui, monsieur Smith. Il n'y a pas d'autre possibilité. Il n'y a pas eu d'effraction, tout simplement parce qu'il n'y a pas eu vol, ni même tentative de vol. Il n'y a eu que la tentative de vous y faire croire.

– Ouvrez ! Je dois en avoir le cœur net !

– Mais c'est que nous n'avons pas la clé de *cette* serrure.

– Je m'en moque ! Forcez-la !

– Voyons, monsieur Smith… »

Avant que Banerjee ou moi-même n'ayons pu réagir, Smith s'empara d'un coupe-papier qui traînait devant lui sur le bureau. Perdant toute contenance, il enfonça la pointe tout près de la serrure cachée, jusqu'à ce que la lame traverse le bois du coffret. Il se mit debout pour faire davantage levier, puis agita le manche comme un démon, le visage cramoisi. Finalement, un craquement retentit, et le barillet de la serrure alla rouler sur la table.

Devant nous, sur son écrin soyeux, le *Pacha bleu* brillait comme la première étoile d'une nuit d'été.

Smith lâcha le coupe-papier et se laissa retomber sur sa chaise.

«Je ne comprends pas, balbutia-t-il. Monsieur Banerjee, comment saviez-vous?

– Tout à l'heure, vous m'avez semblé bien pressé d'en finir, monsieur Smith. Aussi, je ne vous ennuierai pas sur le "comment". Le diamant est là, c'est le principal.

– Bien sûr, et je vous en remercie! Mais tout de même... Cette lettre que nous avons reçue, ces menaces... J'aimerais avoir le fin mot de cette machination!

– Vous êtes venu me trouver pour récupérer le diamant : voilà qui est fait. Je ne suis pas à même, cependant, d'en déduire autre chose.»

Smith n'allait pas s'en tenir là. Aussi, je décidai de venir en aide à Banerjee :

«Excusez-moi de prendre la parole, monsieur Smith, mais... je ne crois pas qu'il faille chercher l'explication très loin. Votre client a voulu se servir de vous pour faire jouer l'assurance, voilà tout.

– Ce sont là des accusations graves! s'offusqua Smith.

– Peut-être, mais réfléchissez un peu : le coffret appartient à M. Micklewhite. C'est lui qui est venu avec, et qui y a rangé le *Pacha bleu*. Il savait forcément ce qu'il faisait, ne croyez-vous pas?

– Oui, mais...

– Sans la lettre, vous n'auriez jamais pensé qu'il y avait pu avoir vol. C'était le prétexte pour vous forcer à vérifier que le *Pacha bleu* était toujours dans le coffret. Cette histoire de Barbarossa ou de je ne sais quel brigand turc n'était là que pour vous détourner de la vérité. »

Toujours indigné, Smith objecta :

« Mais pourquoi ne pas revendre le diamant, tout simplement ? »

Je tirai de mon veston blague à tabac et pipe – la dernière chose au monde dont j'aurais accepté de me séparer – et, tout en préparant cette dernière, je répondis :

« Allons... Micklewhite a une réputation à tenir. S'il revend le *Pacha bleu* si peu de temps après son acquisition, le signal sera clair : il n'a plus un sou vaillant. Je pense que Micklewhite a fait un peu trop de dépenses inconsidérées ces derniers temps, et qu'il n'est pas facile pour lui de l'assumer publiquement. Donc... la prime d'assurance arrangeait bien ses affaires, et lui permettait de se sortir d'une situation financière délicate. Il vaut mieux passer pour une victime que pour un homme ruiné dans certains milieux, pas vrai ? Micklewhite aurait récupéré son coffret le plus simplement du monde... et je suppose que le diamant, lui, aurait refait surface à un moment ou à un autre. C'était très astucieux de sa part. »

Smith s'enfouit la tête dans son mouchoir – qui, totalement déplié, approchait la taille d'une nappe de pique-nique – et y resta un petit moment. Puis, après s'être décidé – enfin ! – à ne plus nous infliger cette vue, il sortit de sa mallette une liasse de billets qu'il posa devant Banerjee.

« Monsieur Banerjee, je ne sais encore comment ma firme va régler cette affaire. Cela sera... délicat, je crois. Mais pour l'heure, voici ce que je vous dois. Je vous demande bien sûr,

ainsi qu'à M. Carandini, d'observer la plus stricte confidentia-
lité quant à ce qui...

– ... vous avez notre parole, bien sûr. Rien de ce qui s'est
passé aujourd'hui ne sortira de ce bureau, le coupa Banerjee.

– Je vous fais confiance, mais... »

Il ne put s'empêcher de regarder dans ma direction. Je lui
offris un sourire forcé en retour, et portai ma pipe à mes lèvres.

Après avoir réitéré sa gratitude à Banerjee, Smith trotta
hors du bureau en m'ignorant, et le bruit de ses pas alla se
perdre dans la cage d'escalier. Je demeurai seul avec le maître
des lieux, dont l'air me parut déjà bien vagabond.

« Il va falloir m'en dire un peu plus ! m'exclamai-je en me
rapprochant de lui. Tout ça avec votre rêve ?

– Mais oui. Ne l'avez-vous point trouvé des plus clairs ?

– Clair ? Comme un fond de cafetière, oui ! Je ne suis pas
doué pour les énigmes, je vous l'avoue, et j'aimerais bien vos
lumières. »

Banerjee ouvrit la fenêtre ; la fumée de ma pipe l'incommo-
dait sans doute, mais il était trop poli pour me le signaler. Je
l'éteignis, et attendis qu'il se décidât à me répondre – ce qu'il
ne fit qu'après une bonne minute.

« Je crois que tout est parti d'un petit détail, en réalité.
M. Smith a dit que Micklewhite lui avait confié "une autre clé".

– Oui ?

– Il n'a pas dit "un double de la clé" ou "une copie de la clé",
mais "une *autre* clé". Cela n'a peut-être l'air de rien, mais c'est
une nuance importante. Je pense qu'il avait vu que la clé qui
lui avait été confiée n'était pas identique à celle que maniait
M. Micklewhite. Comme je l'ai exposé tout à l'heure, ce dernier
était abrité par le coffret, et il pouvait dissimuler une partie
de ses gestes. Pas entièrement, évidemment, mais il savait que
l'attention de M. Smith se focaliserait sur le diamant, et pas sur
le coffret ou les clés. Dans le contexte, il n'y avait aucune raison

d'être soupçonneux, et l'esprit de M. Smith a tout simplement relégué cette information capitale au second plan. Or, le rêve se repaît de tous ces détails que l'on juge, à tort, sans valeur.

– Je veux bien, mais votre rêve, tiens, parlons-en ! Un loup, un lion ? Un cachot ?

– Lors de ce rêve, j'étais *dans* le coffret. Au premier étage de celui-ci, moelleux et doux, dans un premier temps. Et bien sûr, si je n'y voyais rien, c'est parce qu'il n'y avait rien à y voir. Alors, j'ai glissé à travers l'écrin soyeux, jusqu'au compartiment secret. Là, il y avait une lumière que je ne pouvais atteindre : la serrure. Et devant moi, l'animal menaçant, c'était ce chien qui, sur le coffret, dissimulait la serrure. Même si le chien est devenu un loup, dans mon rêve.

– Oui, mais aussi un lion, je vous rappelle.

– Bien sûr. Et les deux tenaient une clé dans leur gueule. Deux animaux, l'un très ordinaire, l'autre beaucoup plus rare et majestueux : deux clés.

– Non, attendez. Il y avait bien deux animaux, d'accord, mais une seule clé, dans votre rêve !

– Les deux se confondent. Le rêve ne se contente pas de simples substitutions d'objets, d'êtres, ou d'égalités mathématiques. Ce qu'il fallait en retenir, c'est cette dualité. Deux clés et un seul animal, deux animaux et une seule clé... c'est la même chose. Et puis, cette clé changeait de taille, rappelez-vous. Cela aussi était un signe. »

Je me ravisai :

« Bon, maintenant que vous me l'expliquez, je vois à peu près... Une lumière gardée par un loup, une serrure cachée par un chien... Ah ! et maintenant que j'y pense, il y avait même un oiseau, dans votre rêve. Comme sur le coffret. »

Je lissai par réflexe ma moustache, et récapitulai :

« Dès lors que l'on admet l'existence de ce compartiment secret, tout devient clair. Micklewhite s'est présenté à Smith avec son coffret ; il l'a posé devant lui, et a ouvert la section du milieu, qui contient le diamant ; puis, après l'authentification, il a refermé le coffret, et a dissimulé la serrure secrète sous la décoration du chien. De l'autre côté de son bureau, Smith n'a pas pu voir ce dernier geste. Micklewhite a alors tendu la clé de la section vide à Smith, qui n'a pas compris qu'elle ouvrait un autre compartiment. Un magnifique coup de bluff ! Digne d'Harry Houdini. Mais vous, monsieur Banerjee…

– Oui, monsieur Carandini ?

– Vous avez un bon sang d'instinct pour avoir compris tout ça ! »

Il ferma les yeux en souriant.

« Cela n'a rien à voir avec l'instinct, je vous l'ai dit. C'est autre chose. Cela se joue sur un plan différent. Votre interprétation finale des motivations de M. Micklewhite, tout à l'heure, était bien plus impressionnante que mon rêve. Je n'en aurais pas été capable. Je suis limité, je ne sais pas extrapoler. »

Je m'éclaircis la voix, et demandai un peu timidement :

« En ce cas, monsieur Banerjee… J'ai l'impression qu'on pourrait faire une jolie paire, non ? »

Banerjee acquiesça d'un discret mouvement de tête.

« Je le crois aussi, monsieur Carandini.

– Je suis engagé, alors ?

– Bien sûr. Si vous le désirez.

– Et comment ! » fis-je avec un enthousiasme qui m'étonna moi-même.

Je lui tendis la main, qu'il serra avec fermeté. Il ne fit cependant pas durer cette effusion outre mesure, et se dégagea pour poser la main sur la liasse de billets remise par Smith.

« Oh ! monsieur Carandini, débarrassons-nous d'une question toujours un peu gênante. Plus pour vous que pour moi, d'ailleurs, je pense : je veux parler de votre salaire. Asseyez-vous, je vous prie. »

Il préleva un tiers des billets en un tas, qu'il ramena devant lui. Il poussa les deux tiers restants dans ma direction.

« Vous plaisantez ? m'étonnai-je. Tout ça pour moi ?

– Oui. Compte tenu de mes frais, je ne peux hélas pas faire mieux !

– Mieux ? Mais... tout ce que j'ai fait, c'est vous tenir la main !

– Le monde est très égoïste, ne trouvez-vous pas ? C'est une belle chose, très altruiste, que de tenir la main à quelqu'un.

– Peut-être, mais je ne mérite pas une somme pareille !

– La mériter... Comment mesurer ce que chacun mérite ? Ce que je sais, c'est que je n'ai *besoin* que du tiers de ce que nous a payé M. Smith. Le reste vous revient donc. »

J'étais à court de mots. J'empochai les billets et dis :

« Monsieur Banerjee, c'est un peu délicat à dire, mais jusqu'à aujourd'hui, je n'avais plus véritablement les moyens de me loger. Grâce à vous, c'est à nouveau possible. Si vous me permettez, je vais aller me mettre en quête de... »

Il m'interrompit :

« N'en faites rien, monsieur Carandini.

– Je vous demande pardon ?

– J'attends de mon assistant une disponibilité totale. Je dois pouvoir compter sur lui à toute heure de la journée.

– En conséquence ?

– Il n'est pas question que vous alliez loger je ne sais où. Il y a ici une chambre pour vous. Enfin : pour celui ou celle qui accepte de tenir votre rôle. Aujourd'hui, c'est à vous qu'elle revient. Suivez-moi, monsieur Carandini. »

Il me lança un regard complice et m'invita à le suivre hors du bureau.

Ainsi commença ma collaboration avec Arjuna Banerjee, le détective du rêve.

IV

De mes premières semaines passées au 30 Portobello Road, je ne garde plus en mémoire qu'une collection d'images, de petits instants, que j'ai aujourd'hui bien du mal à relier ensemble. Je me revois m'installer dans la chambre meublée mise à ma disposition, et m'étonner qu'elle fût plus confortable et spacieuse que celle de mon hôte ; je me rappelle aussi ce mélange de soulagement (j'avais, à nouveau, un toit au-dessus de ma tête) et d'incertitude quant à mon avenir. Mais tout ceci impliquait tellement de changements dans ma vie que désormais, les dates se télescopent dans ma tête et la chronologie des événements m'échappe. Bien heureusement, il me reste mes notes, disséminées entre quelques feuilles volantes et les carnets que je ne manque jamais de fourrer dans une de mes poches dès que je mets un pied en dehors du lit.

Sans doute devrais-je commencer par en dire un peu plus sur mon hôte – ou plutôt, mon nouvel employeur. Je crois qu'avant cette rencontre, je n'avais jamais croisé le moindre individu dont le caractère pût s'en approcher de près ou de loin. Arjuna Banerjee dégageait bien davantage qu'un simple charme exotique : j'avais tout simplement l'impression qu'il n'était pas de ce monde. Il abordait la vie avec un mélange de sagesse et de naïveté pour le moins déconcertant. Sa compréhension des mécanismes qui régissent les rapports entre les individus me paraissait sans limites ; en revanche, il accordait spontanément une telle confiance à qui que ce soit que bien des fois, je me demandai par quel miracle un escroc ne l'avait pas encore dépossédé de tous ses biens. J'eus l'occasion de m'en rendre compte un jour que je l'avais accompagné au marché couvert de London Bridge ; flairant le bon pigeon, les maraîchers, fromagers et bouchers n'hésitaient pas à gonfler sans vergogne la note. Bien entendu, constatant des écarts suspects, j'avais invité Banerjee à aller se plaindre. Il m'avait alors répondu :

« Christopher, voilà une bataille que je ne désire pas mener. C'est à la conscience de ces commerçants de les malmener, pas à moi. Comprenez-vous que mon énergie doit être investie dans autre chose ? »

La plupart du temps, je ne savais pas quoi répondre aux questions de Banerjee qui, d'ailleurs, n'en étaient peut-être pas vraiment. J'intégrai donc l'idée que mon employeur acceptait – jusqu'à un certain point – que la malhonnêteté d'autrui s'exerçât à son détriment. Évidemment, je ne pouvais m'empêcher de trouver que cette disposition, pour honorable qu'elle fût, n'était pas à proprement parler un atout dans la profession de détective privé. Mais pour ce que je pouvais en voir, elle n'avait jusque là pas présenté de véritable obstacle.

Banerjee répugnait ostensiblement à parler de lui-même. Dès que j'essayais de l'amener à évoquer son passé, à me raconter quand et comment il était parti d'Inde, ce qui l'avait poussé à embrasser son activité actuelle, il ne m'offrait que quelques miettes de vérité, et très habilement, m'incitait à me dévoiler moi-même. Je me retrouvais immanquablement à radoter sur ma propre existence, frustré que mon sujet me glissât entre les doigts comme une savonnette, alors que je l'avais dans le collimateur à longueur de temps. Après deux semaines, j'en étais toujours peu ou prou au même point.

Une journée d'Arjuna Banerjee – et, par conséquent, de Christopher Carandini – se déroulait selon un rituel inoxydable. Je devais, pour commencer, le réveiller tous les jours quelques minutes avant le lever du soleil. Cela impliquait pour moi d'aller recueillir les informations auprès de l'Institut géographique, et de régler mon propre réveil en conséquence. Je ne comprenais pas, dans un premier temps, pourquoi Banerjee tenait tant à ce que cela soit moi qui le réveille : je lui aurais volontiers cédé mon réveil en échange d'une heure de sommeil supplémentaire. De plus, cette activité me mettait dans la peau d'un majordome, et ce n'est pas pour cela que j'avais signé. Au fait de mes doutes, Banerjee m'avait assuré que «cela faisait partie de notre travail en duo». J'avais pris la décision d'y croire à peu près. À peine Banerjee était-il sur pied qu'il ouvrait la fenêtre – quel que soit le temps – et se livrait à une gymnastique tantôt gracieuse, tantôt étonnamment énergique. Plus d'une fois, il m'invita à l'imiter, mais je préférais décliner. Cette pratique, disait-il, s'appelait Kalarippayatt. Je n'en avais jamais entendu parler avant.

Le petit-déjeuner se prenait ensuite au sous-sol. Comme souvent dans les maisons londoniennes, ce niveau était ajouré et, en se tordant un peu le cou, on pouvait voir marcher les promeneurs de Portobello Road. Polly, l'insaisissable jeune femme que j'avais rencontrée au rez-de-chaussée, dans le magasin d'antiquités, préparait thé et toasts. Je m'étais tout d'abord figuré qu'elle était la propriétaire de toute la maison, mais quelques remarques lancées de-ci de-là m'amenèrent à penser que ce n'était finalement pas le cas. Elle vivait elle-même dans des appartements situés au niveau de la rue, attenants à sa boutique. Ses liens avec Banerjee m'échappaient totalement ; il lui parlait comme à une amie, et elle lui répondait avec la déférence d'un élève envers son professeur. Il est vrai que l'air sérieux de Banerjee inspirait le respect ; mais à bien y regarder, nous ne devions pas avoir une différence d'âge si importante. Je lui donnais un peu moins de quarante ans.

Polly, au fil des jours, se montra plus amicale à mon endroit. En repensant à son attitude le jour de notre rencontre – d'abord enjouée, puis froide comme une nuit de novembre – j'en étais venu à la conclusion qu'elle avait agi comme un chien de garde, et que tout ce qui pouvait menacer Banerjee la mettait en alerte.

Pendant le petit-déjeuner, Banerjee me priait de lui lire les gros titres du journal, et parfois un article entier quand quelque chose l'interpellait. Je ne cacherai pas que lire les articles *des autres* m'était un peu pénible ; la frénésie des salles de rédaction me manquait, le terrain aussi. Mais quel ingrat aurais-je été de m'en plaindre à mon nouvel employeur ?

Après ces préliminaires, la journée pouvait débuter pour de bon. À ceci près que bien des fois, elle ne débutait jamais. Je devais être prêt à seconder Banerjee au cas où un client se présentait à nous, et donc ne quitter les lieux sous aucun prétexte. Il se passait hélas des journées entières sans que quiconque vînt frapper à notre porte ! On ne peut pas dire que les affaires marchaient mal pour autant : à d'autres occasions, les clients se succédaient à raison de quatre ou cinq par jour. Il fallait donc composer avec ces phases de désœuvrement et d'activité intense. Les « missions » auxquelles je participai les premiers temps se déroulèrent d'une manière très semblable à la première. Banerjee, à la fortune de ses rêves délirants, parvint à élucider les mystères suivants sans mettre un pied hors de la maison :

1. un collectionneur d'art qui se plaignait de voir des personnages s'échapper de ses tableaux,

2. le propriétaire d'un cirque qui pensait que l'un de ses tigres avait été escamoté par son magicien,

3. un latiniste de Cambridge victime d'un maître chanteur se présentant comme le descendant de Caligula,

4. un employé de banque terrorisé par le miroir de sa salle de bains, qui lui renvoyait non son propre reflet, mais celui de sa belle-mère.

J'en passe bien d'autres, moins spectaculaires.

À chaque occasion, je m'enthousiasmai de la pertinence des interprétations de Banerjee ; si bien que ce qui m'était apparu au départ totalement farfelu devint rapidement ma routine. Mon rôle dans ces résolutions me semblait bien insignifiant, mais constamment, Banerjee me rassurait à ce propos :

« Rien ne serait possible sans votre aide, Christopher. Je suis un funambule, et vous êtes mon fil. Sans vous, je tombe. »

Notre journée de travail commune se terminait en général à cinq heures de l'après-midi, horaire à partir duquel j'étais libre de vaquer aux activités de mon choix. J'avais désormais de quoi louer un petit meublé dans le quartier, mais la chambre que Banerjee mettait à ma disposition me satisfaisait encore pleinement. Et puis, au fond, en restant sur place, j'espérais bien lever plus rapidement les mystères qui entouraient Polly et mon employeur.

Ma routine ronronnante fut brisée un matin de septembre, alors que j'étais en pleine digestion d'un abus de toasts à la marmelade d'abricots. J'étais dans le bureau de Banerjee, et je venais de lui annoncer qu'un nouveau meurtre de femme avait ensanglanté le quartier des affaires ; le macabre bilan était à présent de cinq victimes. C'est alors qu'on frappa à la porte, et je m'empressai d'aller ouvrir. Le client qui se présenta à nous, grand, carré, avec les cheveux crantés et une fine moustache cirée, n'avait en soi rien de particulièrement remarquable. Dès ses premiers mots, en revanche, je sus que nous allions aborder un cas plus tordu encore qu'à notre habitude.

« Monsieur Banerjee, on m'a dit le plus grand bien de vous, commença-t-il. Je pense que vous êtes l'homme de la situation.

– J'espère ne pas vous décevoir. Puis-je savoir ce qui vous amène ?

– Bien sûr. Je voudrais savoir qui m'a assassiné. »

Je sursautai ; même Banerjee ne put réfréner une mimique d'étonnement.

« Vous voulez dire que quelqu'un a essayé de vous assassiner ?

– Non. *J'ai* été assassiné.

– Vous seriez donc mort ?

– Exactement. »

Banerjee croisa les doigts de ses mains, et y reposa son menton.

« Si je puis me permettre, fit-il observer, vous me semblez en très grande forme, compte tenu des circonstances que vous décrivez. Monsieur... monsieur ?

– Scriven. Lord Scriven. »

Ce nom était encore frais dans ma mémoire : le décès de lord Scriven, dans son manoir au sud de Londres, avait été annoncé dans le journal de la veille. Le fait avait eu quelques retentissements, compte tenu des liens du défunt avec le gouvernement. Mais jamais il n'avait été fait mention d'un assassinat. Et pour finir, l'homme qui était assis dans le bureau ne ressemblait en rien au vieillard parcheminé que j'avais vu en photo.

Comme à l'accoutumée, j'étais assis dans un coin de la pièce, en retrait. Banerjee préférait que je n'intervienne pas pendant cette phase de l'enquête, afin de ne pas interférer avec sa collecte d'informations. Mais ce n'était pas l'envie d'ouvrir la bouche qui me manquait !

Lord Scriven secoua la tête, et poursuivit :

« Je comprends votre surprise, et je ne vous blâmerai pas d'être sceptique, monsieur Banerjee. J'ai moi-même du mal à y croire.

– Poursuivez, se contenta de dire Banerjee.

– J'ai été assassiné il y a de cela deux jours, et j'ignore par qui. Je vous donnerai plus tard les circonstances de ce meurtre, mais sachez que depuis, mon esprit s'est incarné dans un autre corps.

– Oh! je vois, fit Banerjee. La personne qui se tient devant moi n'est donc pas tout à fait lord Scriven?

– L'enveloppe charnelle que vous voyez appartient à mon majordome dévoué, Cardiff. »

Je tirai discrètement mon carnet de ma poche et y couchai quelques notes.

« Bien. Avez-vous parlé aux membres de la famille de cette... substitution de corps?

– Bien sûr que non. Ils ne comprendraient pas. Pour eux, je suis toujours Cardiff. Il est à mon service depuis trente ans, et vous comprendrez donc qu'il ne m'est pas bien difficile de donner le change. Je sais exactement ce qu'il est susceptible de dire ou faire dans toute circonstance.

– L'inverse est sans doute vrai également? »

Lord Scriven-Cardiff en eut l'air courroucé.

« Qu'insinuez-vous?

– Je n'insinue jamais rien, j'essaie de voir les choses sous leur jour le plus simple. Comment avez-vous justifié votre absence auprès de la famille de lor... de votre famille, si, à leurs yeux, vous êtes toujours Cardiff?

– Tout le personnel a eu droit à une après-midi de congé. J'en ai profité pour venir vous voir immédiatement. J'avais vu votre nom dans...

– Peu importe, vous êtes là, c'est l'essentiel. Avant que nous n'allions plus loin, lord Scriven...

– Je suppose que compte tenu des circonstances, les convenances ont moins lieu d'être. Au diable mon titre! Je ne suis plus lord rien du tout. Scriven suffira. »

La preuve était donc faite, pensai-je : pour qu'un lord en vienne à se mettre au niveau du petit peuple, il lui fallait *a minima* décéder.

« Monsieur Scriven, pourriez-vous à présent m'expliquer tout ce qui s'est passé? C'est que je n'ai pas en tête les détails de votre mort. Je suis sûr que M. Carandini, mon assistant ici présent, en a un souvenir plus frais, mais je préfère entendre votre version.»

Scriven-Cardiff hocha la tête.

«Bien sûr. Par où commencer? Il devait être environ cinq heures de l'après-midi, et je m'étais retiré dans mon bureau pour travailler à ma correspondance. Comme je déteste être dérangé, je m'étais enfermé à clé.

– Pourriez-vous me décrire ce bureau?

– Eh bien... il s'agit d'une assez grande pièce, dans laquelle j'aimais passer le plus clair de mon temps. Elle est tapissée de vieux livres dont je n'ai pas lu le tiers, et le meuble sur lequel je travaille d'ordinaire est situé en plein centre.

– Des fenêtres?

– Non. Enfin, en réalité, si: une seule. Mais il s'agit moins d'une fenêtre que d'un petit vasistas destiné à aérer. Il ne doit pas faire plus de vingt pouces de haut, et il est protégé par des barreaux.

– La pièce doit donc être extrêmement sombre?

– Si on n'allume pas, en effet. Mais plusieurs lampes à pétrole y sont installées, et cela me convient parfaitement. Je n'aime pas cette... lumière électrique moderne. Et la pleine lumière me fatigue. C'est pour cette raison que j'ai jeté mon dévolu sur cette pièce.»

Banerjee prit le temps d'intégrer toutes les informations, puis reprit ses questions:

«Parfait. Vous vous êtes donc installé à votre bureau, et vous avez commencé à écrire. Et ensuite?

– Une demi-heure plus tard, Cardiff a frappé à la porte pour m'apporter un plateau de thé.

– Cardiff... Vous voulez dire *vous-même* à l'instant présent?

– C'est une manière de voir les choses. Vous n'avez devant vous que le *corps* de Cardiff. Je suis bien Walter Scriven.

– Évidemment, c'est ainsi que je l'entendais. Cardiff est reparti juste après ?

– Oui, moins d'une minute plus tard. Je me suis remis à écrire en buvant mon thé. Et c'est alors que j'ai commencé à me sentir mal. Comme si ma poitrine était broyée par un étau, et qu'on me comprimait la trachée. »

Ce que décrivait Scriven – ou Cardiff, qu'en savais-je ? – ressemblait à un banal infarctus. Pourquoi diable parlait-il d'assassinat ? À vrai dire, cette question présentait un autre problème : bien malgré moi, je réagissais comme si *j'admettais* que j'avais bien lord Scriven en face de moi. La nonchalance de Banerjee face aux phénomènes inexpliqués devait déteindre petit à petit sur ma personnalité.

Mon employeur demanda :

« Est-ce tout ce dont vous vous souvenez ?

– Oui. Je suis mort juste après. Je me souviens avoir vu mon corps, recroquevillé sur le tapis, et puis j'ai flotté un moment dans les airs. Après, c'est un grand vide d'au moins une heure. Mon souvenir suivant, c'est quand je me suis retrouvé dans le corps de Cardiff.

– Que faisait-il ? Ou plus exactement : que faisiez-vous ?

– Il cirait mes chaussures.

– Alors que vous étiez mort ?

– Non. Enfin oui, mais à ce moment-là, tous les habitants du manoir ignoraient que j'étais mort. Mon ancienne enveloppe physique reposait à l'intérieur du bureau, toujours fermé à clé. »

Le front de Scriven-Cardiff ruisselait comme s'il venait de parcourir trois tours de stade. Il se frotta les tempes, puis ajouta :

« J'étais totalement désorienté, je ne comprenais plus qui j'étais et ce que je faisais là, dans la peau d'un autre. Imaginez ma stupeur quand je me suis regardé dans la glace ! J'aurais pu mourir une deuxième fois. De terreur !

– On peut le concevoir, surtout quand on est peu préparé intellectuellement à l'idée de réincarnation, déclara calmement Banerjee. Une fois le choc passé, qu'avez-vous fait ?

– Je me suis précipité là où je pensais me trouver. Enfin, là où je pensais trouver mon corps. Mais la porte était toujours fermée à clé. J'ai donc donné l'alerte, et suis allé chercher un pied de biche. Au prix de quelques efforts, j'ai réussi à arracher la porte de ses gonds. Et là... Je me suis vu à nouveau. Inerte. Mort. Tout le personnel avait l'air sincèrement effondré, et croyez-moi, je l'étais bien davantage encore. Mourir est une formalité, a priori. Il est assez fâcheux de devoir en plus assister à tout ce qui s'en suit. Mais curieusement, alors que j'aurais dû devenir fou, toute cette... anomalie a commencé à me sembler naturelle. La panique m'a abandonné, et seule est restée l'idée de trouver le coupable. Je suppose qu'on ne peut pas être à la fois mort *et* fou.

– Je vois, fit Banerjee (le pire étant qu'il "voyait" très certainement pour de bon). Mais un détail continue de m'intriguer, et je suis certain qu'il intrigue aussi mon assistant : pourquoi affirmez-vous avoir été tué ? Vous êtes mort dans une pièce quasiment close, et les symptômes que vous évoquez pourraient être naturels.

– Vous avez raison, et j'y ai beaucoup réfléchi. »

« C'était déjà ça », pensais-je.

« La vérité, poursuivit-il, c'est que je n'ai pas de preuve formelle. Mais... la lettre que j'écrivais a disparu. Il n'y en avait aucune trace sur le bureau. Je suis persuadé qu'on m'a tué à cause de cette lettre, et que le meurtrier l'a ensuite dérobée pendant qu'on découvrait mon corps. »

Fidèle à son habitude, Banerjee accepta l'information comme si elle lui paraissait de la plus grande banalité. Il se contenta de demander :

« Cette lettre était donc importante. Pourriez-vous m'en dévoiler la teneur ? Ou au moins le destinataire. »

Scriven-Cardiff leva les yeux au ciel, les mains jointes, et un filet d'air vint siffler entre ses dents.

« C'est bien là le problème. Je ne m'en souviens plus. »

Évidemment. On touchait là les limites de cette petite comédie.

« Vous ne vous en souvenez plus, répéta Banerjee. Mais vous savez qu'elle était importante.

– C'est difficile à expliquer, commença Scriven-Cardiff. Depuis que je suis dans le corps de Cardiff, il y a des choses de mon passé qui m'échappent. C'est comme si j'avais poussé l'esprit de Cardiff dans un coin de son cerveau, et que de temps en temps, il luttait pour reprendre ses aises. Je me souviens de nombreux détails de ma vie antérieure, mais j'ai des absences. Des trous. En particulier concernant cette lettre. Je me revois me mettre au pupitre, tremper ma plume dans l'encre… Je *sais* que son contenu était de la plus haute importance. Je sens une cloche sonner sous mon crâne à chaque fois que j'y pense. Pour autant, c'est comme si je lisais un livre dont on aurait déchiré des pages. Un chapitre entier. »

Banerjee se cala au creux de son fauteuil, et fixa son client avec toute l'intensité dont il savait faire preuve.

« Si je résume, monsieur Scriven, vous êtes venu me voir parce que vous avez été réduit au silence par quelqu'un à qui votre courrier aurait pu nuire. Ou, du moins, par une personne qui travaillait pour ce quelqu'un. La médecine a conclu à une mort naturelle. Vos obsèques ont eu lieu, ou vont avoir lieu bientôt. Et vous voulez que je prouve que votre mort est un assassinat.

– C'est cela. »

C'était avec ce type de résumé que Banerjee mettait d'ordinaire fin à cette première étape. D'un instant à l'autre, il allait se raidir, ressentir le petit picotement qui précédait son retrait dans le monde des rêves, et annoncer qu'il prenait congé. J'allais l'accompagner dans la pièce d'à côté, interpréter ce chant dans lequel j'excellais désormais, et assister à son récit de somnambule peuplé de symboles totalement opaques. Je scrutai Banerjee, à l'affût du subtil changement d'attitude que je détectais maintenant avec assurance.

Mais rien de ce que j'attendais n'arriva.

Jamais je n'aurais pensé qu'il fallût un mot plus fort qu'«immobile» pour décrire quelqu'un qui ne bouge pas. De fait, Banerjee était plus immobile qu'immobile; à côté de lui, en cet instant, même une tête de cerf empaillé aurait ressemblé à un joyeux fêtard. Battait-il seulement des cils ? J'aurais juré le contraire. Et la situation n'en finissait plus de s'étirer, plongeant aussi bien notre client que moi-même dans un embarras croissant.

«Il y a un problème», finit par dire Banerjee après nous avoir infligé ces deux minutes de torture psychologique.

C'était la première fois que je l'entendais utiliser le mot «problème». Après ces quelques semaines en sa compagnie, j'avais fini par penser qu'il était impossible à Arjuna Banerjee d'être confronté à une situation problématique. Ou du moins, à une situation qu'il *jugerait* problématique car tout, à ses yeux, paraissait s'inscrire dans une espèce d'ordre naturel. Au départ, je n'avais pu m'empêcher de considérer son attitude comme une forme déguisée de fatalisme, mais il était tellement reposant de s'y abandonner. Cette annonce me renvoyait donc à ma vie «d'avant»: celle où il y *avait* des problèmes.

«Je n'ai pas assez d'éléments pour y voir clair, poursuivit-il. Il va nous falloir, je pense, nous rendre sur les lieux de l'affaire. Mais si la médecine et la police ont déjà conclu à une mort naturelle, je n'ai aucune légitimité à reprendre l'enquête.

J'imagine que vous aviez de la famille ? Comment réagira-t-elle à notre présence ? Comment la justifier ? »

Scriven-Cardiff baissa la tête.

« J'espérais que vous auriez une idée. Je n'ai parlé de mes soupçons à personne, vous imaginez bien : on dirait que ce pauvre Cardiff a perdu la tête ! »

Et à qui aurait-on bien pu donner tort ? Jugeant que le moment était opportun, je pris à mon tour la parole :

« Nous pourrions prétendre que nous sommes de la police. Bien entendu, la famille cherchera à se renseigner, à vérifier qui nous sommes, mais... je connais plutôt bien le superintendant Collins de Scotland Yard. Et il a une dette envers moi. Je suis sûr qu'il accepterait de nous couvrir, du moment que ça ne prend pas trop de temps. »

Scriven-Cardiff eut une moue dubitative et objecta :

« Une dette envers vous ? Elle doit être de taille, pour qu'il accepte de mentir à la famille Scriven. »

Je rougis, puis commençai :

« Eh bien ! il se trouve que...

– Peu importe, me coupa Banerjee. Si M. Carandini estime que nous pouvons jouer cette carte, jouons-la ! Quand pourrions-nous venir au manoir ?

– Dès demain, s'empressa Scriven-Cardiff. Je vous en suis très reconnaissant : peut-être, après, pourrai-je enfin être mort tranquillement.

– Je vous le souhaite, monsieur Scriven, je vous le souhaite. »

Dans les minutes qui suivirent, Banerjee mit au point avec Scriven-Cardiff les modalités de notre venue. Et puis, notre invité s'en alla, non sans nous avoir chaleureusement remerciés, et en nous promettant une parfaite collaboration de tout le personnel. Quand nous fûmes enfin seuls, je dis à Banerjee :

« Qu'en pensez-vous ?

– À quel propos ?

– Eh bien, cet homme… Il est fou à lier, n'est-ce pas ?

– Peut-être. Mais cela ne me semble pas être une obligation. »

J'en bégayai de stupéfaction :

« Mais enfin, Banerjee ! Ne me dites pas que vous croyez à ces sornettes ? Vos rêves, c'est une chose, mais ça… »

Il prit cet air peiné qui me faisait sentir tellement petit.

« Vous autres, Occidentaux, avez tendance à imaginer l'âme comme le jaune d'un œuf dont la coquille serait le corps. C'est une erreur. Nos corps ne contiennent rien d'autre que des organes. L'âme est ailleurs. Voyez un téléphone : il ne renferme rien d'autre que des composants électriques et mécaniques. Mais ce qui lui donne la vie, en quelque sorte, c'est ce qui est transmis par le fil. On peut décider d'appeler un poste… ou un autre. Il en va de même avec nos corps et nos âmes. Si ce n'est que les fils et les câbles, dans ce cas, sont invisibles.

– Je ne vais pas m'engager dans cette voie avec vous, dis-je en mesure de protection. Mais tout de même, dans notre affaire…

– Christopher, laissez-moi finir. Un homme qui se sait sur le point de mourir, pour peu qu'il ait suivi l'entraînement adéquat, peut parfaitement transférer son esprit dans un autre corps que le sien. Il lui suffit simplement – si j'ose dire – de décider que la "transmission" ira ailleurs.

– Et vous allez me dire que vous maîtrisez les techniques en question, n'est-ce pas ? »

Il eut un sourire fugitif, que je me contentai peut-être d'avoir imaginé.

« En effet, Christopher. Cela fait partie des choses que je sais faire. Le corps "déserté" ne meurt pas vraiment, mais a tous les attributs de la mort, pour les non-initiés. En réalité, privé d'esprit, il ne subit plus aucun changement. Il reste dans l'état où il est, de manière inaltérable. Et il ne se désagrège pas tant que son esprit d'origine ne l'a pas réintégré.

– Oh ! formidable, ironisai-je. Et cela servirait à quoi de le réintégrer ?

– Si le corps d'origine a subi des dommages, ils peuvent parfois être réparés pendant que l'esprit est ailleurs. Celui-ci réintègre alors un corps sain. Mais si le corps venait à être irrémédiablement endommagé alors qu'il contient encore un esprit... ce serait la mort telle que vous l'entendez. »

Je gonflai les joues, expirai bruyamment, ne cherchant nullement à dissimuler mon atterrement.

« Banerjee, j'entends ce que vous me dites, mais cela ne concerne que vous... Enfin, vous et quelques autres, je suppose. Mais là, on parle de quelqu'un qui n'a certainement pas étudié les arts mystiques en Inde. Et il est tout de même délicat de débuter une enquête sur la base d'un pur délire, ne pensez-vous pas ? Ce pauvre valet de pied devait adorer son maître, sa mort lui a tapé sur le ciboulot, et voilà tout.

– Qui sait, Christopher ? Mais son inquiétude, elle, n'a rien d'imaginaire. Ce qui la motive non plus. Partant de ce principe, notre enquête est tout ce qu'il y a de légitime. Je vous suggère d'ailleurs de vous y préparer dès maintenant. Je pressens que demain sera une journée chargée. »

C'était là un doux euphémisme, dont j'ignorais encore la portée.

V

Scriven's Manor

Je ne pense pas être quelqu'un d'obtus, mais malgré toute mon ouverture d'esprit, je parvenais difficilement à avaler l'idée que l'esprit d'un lord assassiné ait pu trouver refuge dans le corps de son valet. Ou plus exactement, je me refusais à voir dans cette histoire à dormir debout le point de départ d'une enquête sérieuse. Voilà pourquoi mon coup de téléphone au superintendant Collins de Scotland Yard ne porta pas seulement sur la « couverture » qu'il pouvait nous offrir : j'espérais bien glaner quelques renseignements à propos de lord Scriven, qui justifieraient nos efforts. Et par chance, cet échange se révéla plutôt fructueux. Tout excité, j'allai trouver Banerjee pour lui raconter ce que je venais d'apprendre. J'étais également hilare, comme à chaque fois que je parlais à Collins. Cela n'échappa pas à Banerjee.

« Vous m'avez l'air bien gai, Christopher.

– Oh ! ça... Ce n'est rien, c'est seulement que Collins... Enfin bref, je vous raconterai une autre fois. Banerjee, peut-être bien que notre bonhomme n'est pas totalement fou, après tout !

– Est-ce un motif de satisfaction pour vous ?

– Eh bien ! pas en soi, mais... Bon, écoutez-moi, au lieu de finasser. J'ai demandé à Collins s'il pouvait se procurer le rapport du médecin qui a examiné lord Scriven après son décès.

– Et je suppose qu'il vous a fourni ce renseignement ?

– Oui, sans aucun mal. Bon, écoutez : il y a bien quelque chose de suspect. Enfin, ce n'est que mon interprétation personnelle, mais je vous laisse juge. Lord Scriven portait une plaie à l'index droit. Une plaie de petite taille, mais toute fraîche.

D'après le médecin, elle ne peut être que très légèrement antérieure au décès.

– Quelles conclusions le médecin en a-t-il tirées ?

– Aucune. Il pensait apparemment que lord Scriven avait pu
se blesser avec un objet de son bureau, suite à un spasme. Un
coupe-papier, ou que sais-je...

– Mais vous avez une autre conclusion, Christopher...

– Oui. Je suis persuadé que cette plaie a un rapport avec
les élucubrations de Cardiff. Ne me demandez pas comment
ou pourquoi : c'est mon instinct de journaliste. Les détails
louches, je les renifle à dix miles. Je ne sais pas encore quoi en
faire, mais je me suis dit que vous, ça vous parlerait peut-être.
Enfin, quand vous dormirez.

– Merci Christopher. Peut-être est-ce là une autre pièce de
la réalité. J'ai aussi l'intuition que cela nous servira. »

Nous nous mîmes ensuite en branle pour notre départ à
Scriven's Manor. Un train devait nous amener de Victoria à
Berwick, dans le Sussex, la « grande » ville la plus proche du
manoir. De là, nous envisagions de nous faire conduire par
attelage pour accomplir les deux ou trois miles restants.

J'avais assemblé quelques notes à propos de lord Scriven,
piochées dans les journaux et publications officielles. Il s'était
marié fort tard à une femme bien plus jeune que lui, Catherine,
dont il avait eu deux enfants : Thomas et Isobel. D'après mes
sources, Thomas devait à présent être un adolescent de seize ou
dix-sept ans, et Isobel une jeune femme à peine plus âgée. Lady
Scriven avait perdu l'usage de ses jambes suite à un accident de
voiture, il y a de cela une dizaine d'années. En conséquence, on
ne la voyait plus jamais aux côtés de son mari quand celui-ci se
rendait à Londres.

Beaucoup de nobles avaient échoué à comprendre les
enjeux de l'ère industrielle, et des profondes transformations
qu'elle impliquait dans notre société. De grands propriétaires

terriens, du jour au lendemain – ou presque –, s'étaient ainsi retrouvés ruinés. Mais le père de lord Scriven, rusé renard, avait su négocier le tournant avec talent en partant de cette observation hélas inéluctable : le monde ne peut changer sans conflits. Et là où il y a des conflits, il faut de quoi se battre. Ainsi, très opportunément, les Scriven étaient devenus fabricants d'armes. Des armes tellement fiables que très vite, la société Scriven Weaponry s'était imposée comme le principal fournisseur de l'armée britannique. Pendant la guerre de Crimée, les canons des Scriven avaient causé des ravages au sein des lignes russes ; et il y a six ans, les insurgés chinois de la révolte des Boxers avaient tâté de leurs fusils. Partout où sévissait l'armée de Sa Majesté, il y avait les armes de lord Scriven.

En tant que membre de la Chambre des lords, Scriven était déjà impliqué, par définition, dans les affaires du royaume. Mais ses relations privilégiées avec le War Office lui avaient évidemment conféré un statut particulier. On disait que le Secrétaire d'État à la Guerre était aux ordres de lord Scriven plutôt que le contraire ; que le fabricant d'armes exerçait une influence occulte sur les décisions militaires du pays. Fort heureusement – et c'était une bonne chose – lord Scriven passait pour un individu à la fois intelligent, mesuré, et moins va-t-en-guerre qu'on aurait pu le craindre.

Compte tenu du statut à la fois officiel et officieux de lord Scriven, il semblait compliqué de faire durer notre enquête. Notre couverture risquait de ne pas faire illusion éternellement, et après, nous nous exposions à des ennuis dont nous n'avions certainement même pas idée.

Le voyage en train se fit sans encombre. Pendant la première heure, je repassai mes notes au crible, me laissant volontiers distraire par le paysage ou le trajet des gouttes de pluie sur la vitre. Banerjee, de son côté, était plongé dans la lecture du *Roi Lear* : il mettait un point d'honneur, disait-il, à connaître et comprendre les classiques de notre pays. Le bruit régulier de la mécanique finit par me bercer, et je m'abandonnai à l'un de ces sommes qui vous prennent par surprise, tandis que l'angle formé par le bord de la banquette et la vitre devient le plus délicieux des oreillers. Une fois arrivés à Berwick, comme prévu, nous pûmes rapidement trouver quelqu'un pour nous mener au manoir. Cela faisait un moment que je n'étais pas monté dans une voiture à chevaux et ma foi, ce n'était pas désagréable de s'en remettre à ces braves bêtes plutôt qu'à des engrenages et des chambres à compression.

J'ai toujours été un ignorant en matière d'architecture, et j'aurais été bien en peine de dater Scriven's Manor. XVIIIᵉ siècle, XVIIᵉ? Plus vieux? Aucune idée. Tout ce que je peux dire, c'est que quand le bâtiment nous apparut, au bout d'une route plantée d'arbres, il me sembla de dimensions un peu plus modestes que ce à quoi je m'attendais. Non qu'il fût ridicule, loin de là : on aurait pu y loger une bonne dizaine de familles londoniennes. Mais force était de reconnaître que malgré la fortune, la dynastie des Scriven n'avait pas cédé à la démesure.

Les grilles du domaine, ornées du blason familial, nous attendaient grandes ouvertes. La calèche nous mena jusqu'au perron du manoir, et nous en descendîmes aussitôt.

Le comité d'accueil ne se fit pas attendre. La silhouette de notre client – Cardiff, le valet de pied, ou lord Scriven, le défunt *himself*, allez savoir... – parut sur le seuil d'une porte en bois dont la couleur, l'épaisseur, et de manière générale, l'austérité semblaient dire au visiteur : « Rentrez chez vous ! » Scriven-Cardiff eut un sourire complice en nous voyant monter les marches du perron. Bien entendu, il convenait d'agir comme si nous ne l'avions jamais vu de notre vie.

« Ces gentlemen voudraient-ils m'indiquer leur nom et le motif de leur venue ? » nous demanda-t-il avec le plus grand sérieux.

Le fait est qu'une autre domestique se tenait quelques pas derrière lui : il était donc nécessaire de donner le change. Je ne pouvais la voir avec clarté, mais le peu que j'en devinais me semblait aussi avenant qu'une momie du British Museum.

« Nous sommes les inspecteurs Carandini et Banerjee de Scotland Yard », déclarai-je.

La domestique vint se placer aux côtés de Cardiff et alors que je la découvrais à la faveur de la lumière extérieure, je présentai mentalement mes excuses aux momies.

« ... en voilà des noms ! marmonna-t-elle.

– Quant à la raison de notre venue, ajoutai-je, elle est très simple : nous aimerions vous poser des questions à propos du décès de lord Scriven.

– Vous m'en voyez très étonné, rétorqua Cardiff, mais il ne m'appartient pas de juger des motivations de Scotland Yard. Peut-être ces messieurs voudront-ils s'entretenir avec lady Scriven ? »

Cardiff jouait l'étonnement avec une telle conviction que j'en vins à penser qu'il avait, peut-être, recouvré ses esprits ; qu'il n'était plus question pour lui de prétendre être possédé par l'âme de son maître. La suite allait me donner tort.

J'acquiesçai et on nous fit entrer. Le hall qui s'offrit à notre vue respirait bien davantage le luxe que l'extérieur du manoir ne le laissait présager. À la façade en briques un peu morne répondait un dallage mosaïque qui déclinait les tons chauds, un escalier majestueux, et un lustre en cristal que je n'aurais pas aimé me prendre sur la tête. On n'échappait pas à la galerie de portraits de famille, bien sûr, mais à ce festival de têtes cadavériques et de perruques empesées faisaient écho un grand nombre de tableaux de maîtres, anciens et modernes.

Nous restâmes un bon moment à attendre, seuls, que Cardiff ou sa collègue revienne avec la maîtresse de maison. Et puis, je finis par entendre un bruit de roues, tantôt amplifié par le sol dallé, tantôt étouffé par des tapis. Bientôt, lady Scriven nous apparut. Quelle surprise ce fut ! Je la savais plus jeune que son défunt mari, mais la vie dans un manoir tend à transformer n'importe quelle femme en vieille chouette bien avant l'heure. Lady Scriven avait échappé à cette malédiction. Le buste droit au fond de sa chaise roulante, vêtue d'une robe noire aux ourlets dentelés, elle nous accueillit d'un sourire à chavirer le cœur le plus endurci. Sa chevelure de jais, zébrée d'une unique mèche blanc-ivoire, courait plus bas que ses coudes. Le bleu de ses yeux me paraissait changeant, instable, tirant tantôt sur le violet, tantôt sur l'outremer. Quelle tristesse qu'une aussi belle femme fût clouée à ce fauteuil !

Cardiff, qui l'avait menée jusqu'à nous, déclara :

« Ce sont ces gentlemen, milady. Les inspecteurs Carandini et Banerjee de Scotland Yard. »

Elle nous tendit la main, ce qui me plongea dans l'embarras : comment diable est-on supposé procéder avec ces gens de la haute société ? Je fis appel à de lointains souvenirs, bientôt imité par Banerjee. L'un dans l'autre, on ne nous chassa pas du manoir à coups de bâton : notre prestation avait sans doute été acceptable.

« Je suis curieuse de savoir ce qui vous amène ? finit-elle par nous demander avec un soupçon d'inquiétude. Il me semblait avoir déjà dit tout ce qu'il y avait à dire.

– C'est que, milady, de nouveaux éléments nous sont parvenus il y a peu.

– De nouveaux éléments ? s'étonna-t-elle en portant une main à sa poitrine. Puis-je savoir de quel ordre ?

– Ils sont confidentiels pour le moment, mais ils réclament une nouvelle investigation de notre part. »

Résignée, elle annonça :

« Bien, toutes les portes du manoir vous sont ouvertes. Mais... je suis très lasse, et toute la maison est encore sous le choc. Je vous prie d'être aussi discrets que possible.

– Bien entendu, milady.

– Avez-vous des bagages ? demanda-t-elle. Peut-être votre serviteur pourrait-il... »

Elle se figea tout net, rougit, et bredouilla :

« Oh ! mais vous n'avez pas de serviteur, bien entendu. Vous êtes tous les deux inspecteurs, c'est bien cela ? Mais oui, évidemment, où avais-je la tête ? Je pensais à autre chose.

– C'est bien cela, oui, nous sommes *tous les deux* inspecteurs, répondis-je du ton le plus neutre possible. Et nous n'avons pas de bagages, nous comptions repartir assez vite. Et de toutes les manières, nous ne nous serions pas imposés de la sorte.

– Bien... Suivez-moi au salon ! Vous prendrez bien quelque chose à boire ? Un brandy, du thé ? »

Nous la suivîmes dans une pièce qui ressemblait à ce point à l'idée que je me faisais d'un salon de manoir que j'en vins à me demander s'il ne s'agissait pas d'un décor de théâtre. Rien, absolument rien, ne manquait : la bibliothèque avec ses grands volumes reliés en cuir qui n'avaient pas dû avoir d'autres visiteurs que des mouches et des mites au cours des deux cents dernières années ; de vénérables chaises assemblées en cercle autour d'une table basse en marbre ; des tapisseries ; des banquettes accueillantes ; quelques vases et bibelots chinois ; un gramophone ; des tableaux de chasse ; et bien entendu, un piano à queue et une harpe. Tout l'ennui du monde concentré dans un seul et même lieu.

Nous prîmes place autour de la table basse ; j'avais opté pour le brandy, Banerjee pour le thé. Et pour la première fois depuis notre arrivée, ce fut mon patron qui prit l'initiative de la conversation.

« Il y a quelques questions très simples que j'aimerais vous poser, lady Scriven. Pour commencer, je voudrais un compte précis des personnes qui étaient là le jour du décès de votre mari.

– Tout cela est, je suppose, dans le rapport de police ? rétorqua-t-elle avec une pointe d'impatience.

– Considérez que nous reprenons tout depuis le début. Une feuille blanche.

– B... Bien. Il y avait moi, donc. Cardiff, que vous avez croisé, ainsi que Ms. Dundee, l'intendante. Vous l'avez vue également, je suppose. En cuisine se trouvaient Vera, Chuck et Dave. Ma propre femme de chambre, Emily, était sortie en courses au moment de l'accident.

– Et où est-elle en ce moment ? demandai-je.

– Oh ! à l'étage. Je préfère que ce soit Cardiff qui manie la chaise roulante. Cela demande de la force, et Emily est toute menue.

– Parfait. Qui d'autre ? poursuivit Banerjee.

– Mes enfants Thomas et Isobcl étaient là également. Et aussi notre pupille, Alistair.

– Votre pupille ?

– Oui. Nous avons tiré Alistair de l'orphelinat il y a de cela deux ans. Il en a treize aujourd'hui, et il doit partir en pension-nat dans quelques semaines. Cardiff ? Pouvez-vous demander à Tom, Isobel et Alistair de venir nous rejoindre ? Je suis certain que ces messieurs du Yard voudraient leur parler. »

Cardiff s'exécuta, et je me promis de lui parler entre quat'z-yeux dès que l'occasion se présenterait.

Alors que nous attendions l'arrivée des enfants, je fus sou-dain secoué par une douleur à la main gauche, aussi vive et aiguë qu'inattendue. Je l'attrapai de mon autre main, pour y découvrir trois lacérations. Un chat angora au pelage gris-blanc, à mes pieds, contemplait son œuvre avec cet air de satisfaction sadique propre à ceux de son espèce, que le plus dégénéré et le plus cruel des humains aurait été bien en peine d'approcher.

« Oh ! je suis vraiment navrée, soupira lady Scriven. Vous êtes assis sur le fauteuil préféré de Cromwell. Ce chat est tellement imprévisible avec les invités ! »

« Cromwell... », répétai-je mentalement.

« Il n'y avait guère que mon mari pour approcher cet animal, confia lady Scriven. Il est d'une agressivité notoire avec tout le monde. Mais vous saignez, inspecteur ! Je vais demander à Cardiff de vous...

– Ce n'est rien, ce n'est rien, fis-je en appliquant un mouchoir sur les plaies. J'ai déjà eu des chats moi-mêmes, je sais ce que c'est. »

Pendant que la lady continuait à se répandre en excuses, Cardiff était revenu accompagné des trois jeunes gens. Thomas affichait déjà une solide carrure, mais son visage un rien poupin ne trompait pas : ce n'était encore qu'un adolescent. Isobel était une version plus jeune – et plus triste, aussi – de sa mère. Mais, supposais-je, c'est le propre de toutes les jeunes filles bien nées d'avoir l'air mélancolique. Quant à Alistair, il s'agissait d'un petit garçon châtain, souriant, aux pommettes rebondies et à l'air espiègle. Sans être gros, il avait une silhouette plutôt potelée qui laissait deviner quel genre d'adulte il risquait de devenir. C'était un enfant que l'on imaginait agréable à vivre, poli et sympathique. Il se tenait les bras dans le dos, droit comme un I, comme s'il était reçu dans le bureau du directeur.

« Ce sont les messieurs de Scotland Yard, annonça leur mère. Je vous demande de bien vouloir répondre à leurs questions.

– Pourquoi sont-ils là ? demanda Thomas avec un air de défiance. Ne peut-on laisser père tranquille, maintenant qu'il est mort ? »

Cardiff eut un sourire qui, sachant ce que nous sachions, prenait toute sa dimension : c'était un sourire de fierté paternelle. Il était donc bel et bien définitivement fou. À moins que ça ne soit moi.

Lady Scriven s'empourpra, mais Banerjee coupa court à cet embarras :

« Votre question est tout à fait légitime, lord Thomas. Nous ne comptons pas vous importuner longtemps. Tout ce que j'aimerais, c'est entendre de vive voix ce que chacun d'entre vous faisait quand lord Scriven a eu son accident. Peut-être... peut-être que notre jeune lord voudrait commencer ?

« Alistair, voulez-vous bien répondre aux questions de l'inspecteur ? » insista – inutilement – lady Scriven.

Le jeune garçon rougit, et plaça sagement ses mains derrière son dos. Il aurait suffi de hausser un peu le ton pour qu'il aille se mettre au coin tout seul.

« Alistair ? Vous rappelleriez-vous ce que vous faisiez au moment des faits ? »

Une voix inaudible s'éleva. Il aurait fallu avoir l'oreille collée devant sa bouche pour entendre le moindre mot. Avec douceur, Banerjee le pria de parler plus fort.

« Je prenais un bain, répéta l'enfant. J'avais beaucoup joué dans la serre au fond de la propriété, un peu plus tôt, et j'étais sale jusqu'au bout des ongles.

– Vous aimez donc les plantes, Alistair ?

– O... oui, répondit Alistair comme s'il venait d'avouer un crime ignoble. Enfin... j'aime les fleurs, surtout. »

Reprenant un semblant d'assurance, il ajouta :

« Je peux vous emmener voir les fleurs, si vous le voulez, monsieur.

– Peut-être plus tard. Maintenant... »

Un bruit de cloche désormais familier retentit : quelqu'un sonnait à la porte. J'entendis Ms. Dundee trotter – et elle trottait encore à son aise, pour une femme d'apparence aussi âgée – puis ouvrir. Une minute plus tard, un homme d'une quarantaine d'années, les tempes grisonnantes et le regard sévère, nous rejoignait au salon. Ce qui me frappa le plus, c'était sa taille : il me dépassait probablement d'une bonne tête, et je n'étais pas un freluquet. Et pourtant, il se mouvait avec une certaine souplesse, et non sans élégance.

Nous dûmes une fois encore nous présenter. Puis, ce fut son tour :

« Je suis désolé de vous interrompre. Je suis Gerald Brown, et j'étais un associé de lord Scriven.

– Gerald, vous êtes avant tout un ami de la famille ! s'empressa d'ajouter lady Scriven. Vous vous faites rare, très cher ! Cela fait bien un mois qu'on ne vous a pas vu par chez nous ? Tout cela pour vous faire désirer ! »

Il lui retourna un sourire plein de gratitude.

« Vous me donnez trop d'importance, lady Scriven. Mais le fait est que j'ai été très pris par le travail. Je constate que vous avez de la visite : je peux bien sûr revenir une autre fois, si vous préférez être tranquilles ?

– Vous n'y pensez pas, Gerald ! s'offusqua lady Scriven. Vous n'avez pas fait tout ce chemin pour rien ? Restez dîner et passez la nuit ici. »

Elle se tourna vers nous :

« Cela vaut aussi pour vous, messieurs. À cette heure, vous risquez de ne jamais avoir de train à Berwick quand vous repartirez. Je sais que vous n'aviez pas prévu de rester, mais cela n'est vraiment pas raisonnable.

– Nous verrons, mais je vous remercie pour ce geste d'hospitalité, déclara Banerjee (qui n'avait probablement pas la moindre idée de la manière dont s'exprime un inspecteur de Scotland Yard). Monsieur Brown, nous étions en train de revoir l'emploi du temps de chacun au moment du décès de lord Scriven.

– Et je peine toujours à comprendre pourquoi ! s'agaça Thomas. Il y a quelque chose que vous ne nous dites pas.

– En effet, lord Thomas. Mais vous imaginez bien, je pense, que Scotland Yard doit avoir ses secrets. Dans l'intérêt de tous. »

Ce n'était pas la réponse la plus convaincante, mais elle parut satisfaire à peu près le jeune lord.

« Admettons, grommela le jeune homme. Alors puisque nous devons tous nous soumettre à cet interrogatoire, sachez que j'étais dans ma chambre quand mon père est mort. En train de lire. Un peu avant... l'accident, j'ai entendu Cromwell qui grattait à ma porte. Je suis descendu pour demander à Vera de le nourrir, et puis je suis rapidement remonté pour finir mon livre.

– Quel était ce livre ? »

Je ne voyais pas l'intérêt de cette question, mais en constatant que Thomas piquait un fard, je me dis qu'elle m'aurait au moins valu ce petit plaisir.

« Les... *Mille et Une Nuits*, finit par admettre le jeune lord.

– Oh ! s'indigna sa mère. Quand même pas la traduction si... vulgaire de ce M. Burton ?

– De sir Richard Burton, corrigea Thomas.

– On anoblit n'importe qui, de nos jours ! Thomas, je... Nous en reparlerons, si vous le voulez bien. »

Le jeune homme acquiesça en fusillant Banerjee du regard.

« Lady Isobel ? poursuivit-il.

– Oh ! moi ? J'étais ici, à jouer du piano.

– Vous rappelez-vous quel morceau ?

– En quoi est-ce important, monsieur... monsieur...

– Banerjee. *Tout* est important, lady Isobel. »

Elle réfléchit, et déclara :

« Il s'agissait d'une étude pour piano de Liszt. »

Banerjee sourit.

«Peut-être nous ferez-vous l'honneur de nous l'interpréter un peu plus tard? Je m'en fais une joie. J'aime beaucoup la musique.

– Eh bien... nous verrons, rétorqua-t-elle avec une gêne évidente.»

La mère eut un regard tendre pour sa fille.

«Vous avez fait des progrès inouïs, Isobel, ne soyez donc pas si modeste! Vous le jouez comme une vraie concertiste. Et dire que vous ne jouez que depuis... deux petites années?

– Mère, je vous en prie, supplia lady Isobel. Ce n'est pas comme si je n'avais jamais joué de musique avant.»

La jeune lady se tourna vers Banerjee et crut bon de préciser:

«J'étais harpiste. Mais je m'étais un peu lassée de cet instrument.»

Banerjee eut son air le plus aimable, et enchaîna:

«Lady Scriven... Nous finirons donc par vous.»

Elle eut un mouvement de lassitude, et un voile passa devant ses yeux.

«J'étais dans le parc, tout près de l'allée par laquelle vous êtes arrivés. J'aime beaucoup prendre l'air devant la maison, vous savez. Je ne peux plus tellement m'évader de cette propriété, dans mon état; alors je profite de ce qu'elle m'offre.»

Ses yeux se tournèrent vers la grande fenêtre qui donnait vers le parc. La pluie s'était remise à tomber, et les arbres se courbaient docilement sous le vent.

«Il faisait si beau, le jour où mon mari est parti... Le seul jour de soleil que l'on ait eu en deux mois. J'étais si heureuse en me levant, parce que je savais que j'allais pouvoir sortir, respirer autre chose que le renfermé...»

Banerjee prit l'air compatissant.

« Merci, lady Scriven. Les souvenirs ne sont pas toujours des compagnons confortables... mais il faut néanmoins cheminer avec eux. »

Immédiatement après, il eut l'une de ces absences dont il avait le secret. Nous attendions tous, intrigués, qu'il se décide à revenir parmi les vivants. Ce qu'il fit à notre grand soulagement après un bon tour de cadran :

« Est-ce bien M. Cardiff ici présent qui a ouvert le premier la porte du bureau de lord Scriven ?

– Oui, inspecteur, confirma Cardiff.

– Qui d'autre était présent ?

– Je crois que toute la famille était là, répondit Thomas. À part mère, bien sûr. Il y avait Isobel, et également Alistair.

– Qui a été le premier à entrer dans la pièce ?

– Lord Thomas m'avait prêté main-forte pour faire céder les gonds, mais c'est moi qui suis entré en premier, fit Cardiff.

– Suivi de nous trois, compléta Isobel. Je m'en souviens bien, parce que cette teigne de Cromwell a failli me faire tomber en s'échappant du bureau. »

Banerjee secoua la tête, se leva, et se mit à arpenter la pièce en silence.

« V... votre collègue est assez pittoresque, n'est-ce pas ? me glissa lady Scriven.

– C'est le moins que l'on puisse dire, oui », avouai-je.

Gerald Brown, l'invité-surprise, profita de ce moment pour demander à Cardiff d'aller lui chercher quelque chose. Cardiff s'exécuta et revint peu après avec un grand sac en papier brun. Avec une mine complice, il dit :

« À l'origine, j'étais venu prendre de vos nouvelles, bien sûr, mais également vous apporter quelques petits cadeaux. Lord Thomas, tenez... »

Il tendit au jeune lord un ouvrage dont je ne pus, sur le coup, lire le titre.

71

« *Peter Camenzind* par Hermann Hesse, lut Thomas.

– C'est un jeune auteur allemand dont on m'a dit beaucoup de bien, précisa Brown. Vous lisez l'allemand, lord Thomas, n'est-ce pas ?

– Parfaitement, oui, confirma le jeune homme. Merci, j'étudierai cela avec attention. »

Brown sourit et continua l'exploration du sac. Cette fois, il en sortit une bouteille facettée.

« On dit ce brandy tout à fait divin, lady Scriven. Je vous en sais amatrice.

– Oh ! Gerald, quelle triste image vous donnez de moi ! pouffa la lady. Mais puisque le mal est fait, j'ai hâte de vérifier vos dires ! »

Satisfait de son effet, Brown poursuivit :

« Isobel, je sais que vous aimez les boîtes à musique... et celle-ci joue du Liszt, justement ! Elle vient d'un très grand artisan horloger. »

Isobel prit dans ses mains la petite mécanique de bois et de métal que lui tendait Brown, et ses joues se gonflèrent à tel point que ses yeux disparurent l'espace d'un instant.

« Merci, monsieur Brown ! » s'enthousiasma-t-elle.

Brown hésita alors, et posa son regard sur Alistair.

« Alistair, je suis vraiment confus. J'avais repéré...

– Oh ! ce n'est rien, monsieur Brown, l'interrompit l'enfant. Je ne manque plus de rien, maintenant. Et je suis heureux quand vous venez nous voir, moi aussi. »

Brown reçut la flatterie avec toute la retenue de mise.

Banerjee, de son côté, semblait avoir terminé son inspection de la pièce. Il revint s'asseoir parmi nous et déclara sans préambule :

« Il faudrait bien entendu que j'aille trouver le reste de votre personnel. Ms. Dundee, et également les personnes qui travaillent à la cuisine. »

Il eut en réponse un épouvantable bruit de papier déchiré. Cromwell s'était jeté sur le sac en papier de Brown, désormais vide, et s'appliquait à le mettre en pièces. Comme le garçon bien élevé qu'il était, Alistair se leva pour prendre l'animal dans ses bras, et le fit ensuite déguerpir.

« Cardiff va vous conduire, déclara lady Scriven.

– Si messieurs les inspecteurs veulent bien me suivre », s'enquit l'intéressé.

Nous nous levâmes, laissant la famille Scriven et leur invité dans le salon. Dès que nous fûmes seuls avec Cardiff, celui-ci nous demanda :

« Alors ? Qu'en pensez-vous ? Qui m'a tué ? »

C'était reparti.

« Je ne peux encore rien dire, dit Banerjee. Je n'ai pas rêvé.

– Rêvé ? Ah ! oui, bien sûr, j'oubliais. »

J'intervins :

« Dites-moi, avez-vous pensé à une éventualité fâcheuse ?

– Laquelle ? demanda Scriven-Cardiff.

– Que cela soit *vous* le meurtrier. S'il y a bien eu meurtre. Vous êtes entré le premier dans la pièce. Vous avez donné l'alarme. Cela pourrait être le message que votre... euh... esprit tâche de nous faire passer. En s'incarnant dans son meurtrier, il attire l'attention sur lui. »

Cardiff, le regard sombre, hocha la tête.

« J'y ai bien sûr pensé. Je n'exclus rien. Mais je ne vois pas quelle raison j'aurais eue... enfin, que Cardiff aurait eue de me tuer. C'est un serviteur dévoué, qui a toujours été bien traité, et n'a jamais manqué de rien.

– Ça, c'est le point de vue du maître, pas du serviteur, lâchai-je non sans malice.

– Allez savoir... » soupira Scriven-Cardiff.

VI

Croa, croa

Tout le monde avait un alibi, ce qui était, dans tous les sens du terme, ennuyeux. Il n'était bien sûr pas exclu que tous ces braves gens mentent, mais en attendant, il fallait se contenter de leurs déclarations. J'étais toutefois assez intrigué par Emily, la femme de chambre de lady Scriven ; une jolie rousse à l'air intelligent, qui ne s'en laissait pas conter. Elle n'était au service de la maison que depuis trois mois, et naturellement, cela me donnait très envie de la placer au sommet de ma liste de suspects. D'autant que malgré tous ses efforts pour le dissimuler sous une couche de parler populaire, sa manière de s'exprimer était celle d'une personne raisonnablement éduquée. Avait-elle pu tuer lord Scriven ? Et si oui, comment et pourquoi ? Je n'étais sûr de rien, mais je restais sur mes gardes.

Banerjee demanda à voir le bureau où lord Scriven était mort, ce qui allait de soi. Cardiff nous mena au deuxième étage du manoir ; en chemin, nous croisâmes lady Isobel, accompagnée de Gerald Brown.

« Que faites-vous à cet étage ? demanda-t-elle d'un air soupçonneux.

– Nous allons voir le bureau de feu votre père, répondis-je.

– Oh ! bien sûr. C'est... normal, j'imagine. Eh bien ! allez-y, mais ne dérangez rien.

– Le désordre n'existe pas, lady Isobel, intervint Banerjee. »
Elle sursauta.

« Je vous demande pardon ? »

Je frémis, et pris la parole :

« Mon collègue a des... des idées bien arrêtées sur les choses, n'y faites pas attention, lady Isobel. »

L'air méfiant, elle conclut :

« Admettons. Faites vite, en tous les cas. Cardiff, j'accompagne M. Brown à la salle bleue, il y a une toile qu'il aimerait revoir.

– Bien, milady. À tout à l'heure. »

Quand ils furent hors de vue, Cardiff se pencha vers nous et déclara :

« Qu'il est dur d'appeler sa propre fille "milady" ! Ah ! s'ils pouvaient comprendre, tous... ils seraient peut-être heureux de savoir que je suis toujours un peu parmi eux.

– Mais oui, mais oui, fis-je avec un soupçon de lassitude.

– C'est évident », ajouta Banerjee.

Le bureau de lord Scriven aurait fait une chambre à coucher parfaite pour un vampire. En un sens, on ne risquait pas de s'y trouver distrait de son travail, tant la fantaisie en était absente. Sur les murs nus étaient accrochés un petit portrait de femme (la grand-mère du défunt, pour ce que j'en comprenais), et une affreuse nature morte. Des étagères en chêne supportaient quantité de dossiers, mais certains avaient été mis sous scellés dans des meubles métalliques. Un grand nombre de secrets d'État et industriels devaient être là, à quelques pas de nous. L'unique et modeste fenêtre permettait de s'y repérer à peu près, mais dehors, le soleil déclinait déjà ; bientôt, il ferait dans le bureau aussi noir que dans un four. Cardiff s'appliqua alors à allumer deux lampes à huile, et vint les poser sur l'immense secrétaire où lord Scriven rédigeait contrats et correspondances.

« C'est vrai qu'il est sombre, ce bureau, confessa Cardiff. Mais son austérité me permettait de mieux me concentrer.

– Est-ce que lord Scriven était le seul à avoir la clé ? Enfin je veux dire... est-ce que *vous* étiez le seul à avoir la clé ?

– Oui, en effet, confirma Cardiff. Il n'y avait que moi.

– Oui, mais que *vous* vous, ou que *vous* lord Scriven ?»

Cardiff me sourit comme s'il me plaignait.

«Je sais, tout cela est compliqué. C'est moi, lord Scriven, qui avais la clé dans une poche de veston. Même Cardiff, enfin le Cardiff d'origine, n'en avait pas de copie. La clé a été retrouvée sur mon cadavre.

– Bien, bien. Pas d'autre question pour le moment. Ah si ! Vous ne vous rappelez pas vous être blessé à la main, le jour de votre mort ?

– Parlez-vous de Cardiff ou de...

– Oh ! bon sang ! pardonnez-moi, mais tout cela commence à me rendre fou ! Je parle de lord Scriven. Est-ce que lord Scriven – continuez à dire que c'est vous si ça vous convient comme ça – s'était blessé à la main durant cette journée ?»

Scriven-Cardiff plissa les yeux.

«Non, pas que je m'en souvienne.

– Fort bien, soupirai-je. Alors il n'y a plus qu'à s'y mettre.»

Je me penchai sur le secrétaire et cherchai immédiatement l'objet avec lequel lord Scriven aurait pu se blesser ; mais je n'y vis rien de tranchant ou de térébrant. Même les arêtes du meuble n'étaient pas assez saillantes pour être soupçonnées.

Banerjee se mit à faire le tour de la pièce. Trois fois. Puis, il s'approcha de la fenêtre, et enfonça sa tête entre deux barreaux, jusqu'à ce qu'elle s'y coince. Il resta un moment dans cette posture un peu stupide, s'extirpa avec peine, et reprit son inspection. Cette fois, il me rejoignit près du secrétaire, et se mit à quatre pattes sur l'épais tapis.

«Que cherchez-vous ? demandai-je.

– Rien.

—Banerjee, vous ne vous êtes pas mis à quatre pattes pour le plaisir ?

– Non plus. Je change ma perspective.»

J'abandonnai.

Je tâchai de trouver quoi que ce soit qui pût me donner une idée de ce que lord Scriven écrivait au moment de sa mort. Mais le bureau était désormais vierge de tout document. Son papier à entête ne comportait pas la moindre trace d'écriture, et la fameuse lettre, si elle avait jamais existé, me paraissait irrémédiablement perdue. Cardiff ne m'aida guère dans cette recherche, se réfugiant à nouveau derrière le prétexte de son « amnésie sélective ». Banerjee s'attarda un moment sur le porte-plume rangé dans une rainure du bureau. Sa plume était maculée d'encre sèche, d'une couleur identique à celle qui se trouvait dans l'encrier. Dans la même rainure se trouvait une plume qui ne semblait pas avoir servi, et n'était plus attachée à un porte-plume. Elle sembla susciter un vif intérêt chez Banerjee.

« Lord Scriven était-il... Ou plutôt : étiez-vous ordonné ? demanda Banerjee à Cardiff.

– J'étais l'ordre même ! se vanta Cardiff.

– Cette plume a fait un séjour sur le tapis, continua Banerjee. Il y a des fils et même des poils qui sont restés accrochés.

– Hum, peut-être bien, fit Cardiff en s'approchant. Mais cela a dû arriver après ma mort, car de mon vivant, je prenais très soin de mes affaires. J'ai dû la faire tomber en mourant.

– Probablement, oui. Rangiez-vous toujours vos plumes de rechange dans cette rainure ?

– Jamais de la vie. Elles se trouvent dans ce tiroir, regardez. »

Scriven-Cardiff ouvrit un compartiment du bureau où l'on put découvrir du papier buvard vierge, deux manches de porte-plume neufs, et une boîte en carton où s'empilaient une dizaine de plumes métalliques, toutes identiques.

– Quelle méticulosité ! » conclut simplement Banerjee.

Après encore cinq bonnes minutes d'exploration peu fructueuses en apparence, mon patron manifesta quelques signes d'impatience – fait rare chez lui. Nous sortîmes dans le couloir, et Cardiff s'apprêta à nous dire quelque chose. Mais il n'en eut pas l'occasion, car nous tombâmes derechef sur lady Isobel et le gigantesque Gerald Brown, qui tenait un chapeau de paille à la main. La jeune lady nous servit une fois de plus son air de suspicion guindée, et demanda à Cardiff d'aider Brown à je ne sais quoi. Il nous abandonna la mort dans l'âme.

Dès que nous fûmes seuls à nouveau, Banerjee s'empressa de me dire :

« Le jeune Alistair a parlé d'une serre. J'aimerais la visiter.

– Et pourquoi donc ?

– Je ne sais pas. Je n'ai pas votre talent d'analyse. Mais je voudrais avoir une vision globale de ce lieu.

– Eh bien ! si vous y tenez, je suppose que nous la trouverons sans mal. »

La serre se trouvait au bout d'un sentier qui partait de l'arrière du manoir. En chemin, Banerjee s'arrêta et se retourna pour observer la façade. Elle n'avait rien de bien spectaculaire, mais mon patron la scruta toutefois un long moment. Après quoi, il demanda :

« La petite fenêtre à droite, avec les barreaux... C'est la pièce où lord Scriven est mort, n'est-ce pas ?

– Attendez voir, j'ai toujours un peu de mal à me repérer dans l'espace... Oui, vous avez raison, cela doit être cela. Pourquoi cette question ?

– Avez-vous remarqué cette ligne de relief qui fait tout le tour de la façade ?

– Oui, et ? Elle passe sous la fenêtre, mais de ce qu'on peut en voir d'ici, elle ne doit pas être bien large. Et à supposer que quelqu'un ait pu, que sais-je, s'y accrocher à la force des doigts... il n'aurait jamais pu entrer par la fenêtre.

– En effet.

– C'est tout ?

– Oui. Pour le moment. Reprenons notre chemin. »

La serre se révéla être un bâtiment magnifique. Elle était presque aussi longue que le manoir lui-même, et formait à elle seule une petite forêt. De ce que nous avions appris, la botanique constituait le passe-temps unique de lord Scriven. C'est seul qu'il s'occupait de cette masse de végétaux à ses heures perdues ; désormais, qu'allait-il en advenir ?

Je n'y connaissais rien – et n'y connais toujours rien – en plantes. La situation était différente pour Banerjee, qui n'eut de cesse de saluer la beauté des fleurs et la variété des espèces. Je comprenais aisément qu'un enfant de l'âge d'Alistair ait pu trouver en ce lieu un refuge fantastique.

Tout à coup, un bruit me fit sursauter. Malgré la lumière déclinante, je pus me rendre compte que les plantes n'étaient pas les seules occupantes de la serre ; il s'y trouvait, également, un vivarium exotique. Et son occupante actuelle, une grenouille à la peau jaune, croassait de bonheur en nous voyant déambuler.

« Qui va la nourrir, maintenant ? » demandai-je.

Banerjee s'approcha de la vitre ; le détective et le batracien s'observèrent un moment, puis la grenouille alla se réfugier derrière un caillou.

Je craignais que la serre n'accueille d'autres occupants moins charmants : araignées, serpents... Si c'était le cas, ils étaient à présent bien cachés. Ou en liberté autour de nous, ce qui ne me réjouissait guère. Mais alors que des sueurs froides commençaient à perler sur mon front, il se produisit ce que je n'attendais plus : Banerjee porta la main à sa nuque, et la frotta, tandis que ses paupières se faisaient plus lourdes.

« Patron... Ça y est ? Vous voulez rêver ? Vous êtes bien sûr que c'est le moment ?

– Le moment est venu, oui.

– Par pitié, ne faisons pas ça ici.

– Il ne faut pas attendre, vous le savez.

– Je le sais, oui, mais je ne vous demande pas d'attendre d'être à Londres! Nous pouvons retourner au manoir : on dira que vous avez eu un malaise, et ils nous trouveront bien une chambre. Je suis sûr que certaines pièces n'ont pas servi depuis cinquante ans. Bon, c'est sûr, ils peuvent nous entendre... Mais je n'ai aucune envie de rester là. »

Banerjee me lança un regard sévère, qui me donna l'impression d'avoir douze ans et de faire un caprice. Puis, il hocha la tête et dit :

« Bien. Mais dépêchons-nous. »

Nous nous hâtâmes en direction du manoir. C'est Ms. Dundee, et non Cardiff, qui nous accueillit, toujours aussi acariâtre.

« Ces messieurs de la police ont-ils trouvé ce qu'ils cherchaient ? grinça-t-elle.

– Peut-être bien, répliqua Banerjee. Mais je suis un peu souffrant. »

Je n'avais jamais entendu quelqu'un mentir aussi mal. Je préférai prendre le relai :

« Si vous pouviez nous trouver une pièce tranquille ? Avec un lit, de préférence, où mon collègue pourrait s'allonger ?

– Un lit... répéta Ms. Dundee.

– Oui. Si cela ne pose pas de problème à lady Scriven, ajoutai-je.

– Je ne pense pas. Mais elle trouvera ça étrange. Comme moi, d'ailleurs. »

Elle nous conduisit au premier étage, jusqu'à la porte d'une chambre au fond du couloir. L'intérieur était parfaitement tenu, mais on devinait que personne n'y résidait régulièrement. Allez savoir à quoi cela tient : une pièce a aussi son langage. Les objets ont leur manière bien à eux de montrer qu'ils n'ont pas été déplacés ou manipulés depuis longtemps, qu'ils sont, en quelque sorte, en sommeil. Ms. Dundee coupa court à mes réflexions en nous indiquant un lit aux draps frais :

« J'espère que ces gentlemen trouveront le lit à leur goût. Que dois-je dire à madame ? Que l'inspecteur fait une sieste ?

– Oh ! ne finassez pas, je vous prie, rétorquai-je avec lassitude. Nous n'en avons pas pour plus de vingt-six minutes, de toutes les manières.

– Voilà qui est précis. Bien, je vous laisse donc, messieurs. »

La vieille acariâtre s'en alla dans un croassement. Banerjee prit place sur le lit de la manière la plus naturelle qui soit, et j'approchai une chaise. Une fois que nous fûmes tous les deux installés, je consultai ma montre et entamai le chant, tout en priant pour que personne ne nous entende.

C'était le moment : je sentais que Banerjee avait commencé à rêver. Sa main s'était glacée, et je voyais ses globes oculaires s'agiter sous ses paupières. Alors, Banerjee se mit à parler :

« Voilà qui est curieux, je me trouve dans une gondole.

– Une gondole ? m'étonnai-je. Comme...

– Il semblerait que je sois à Venise, en effet. Oui, c'est bien cela : je suis dans une gondole, et je me déplace sur les canaux de Venise. Il pleut, mais il y a également un grand soleil. La pluie tombe tout autour de moi sans jamais me toucher. Le gondolier est très grand, et il se sert d'une lance pour nous faire avancer. On dirait une lance indigène. Je ne saurais dire de quelle peuplade elle vient.

– Admettons, admettons...

– Nous naviguons encore. Toujours cette pluie, toujours ce soleil. Le chapeau du gondolier a changé ! On dirait à présent un casque colonial. Il est énorme, mais cela n'a pas l'air de le gêner. Mais voilà que nous nous arrêtons. Sous un balcon. Il y a une jeune femme à la fenêtre. La vue du gondolier paraît la mettre en joie. Elle lui fait de grands signes. Elle ferme toutes les fenêtres derrière elle. Elle a soudain l'air très inquiète. Voilà que le gondolier se met à chanter. Quelle voix étrange ! »

Banerjee se tut. Quand il se remit à parler, ce fut pour dire : « Oui, une très étrange voix.

– C'est-à-dire ?

– La voix du gondolier n'est pas humaine. Elle a une sonorité presque mécanique. D'ailleurs...

– Oui ?

– Le gondolier n'est plus avec moi dans la gondole. Il est avec la jeune femme, sur le balcon. Il y a autre chose à sa place. Je m'approche pour regarder. C'est une statuette.

– Que représente-t-elle ?

– Je crois que c'est ce qu'on appelle le *Discobole*. Cette sculpture grecque qui représente un athlète en plein lancer de disque.

– Oui, je sais ce qu'est le *Discobole*.

– Celui-ci est différent. Il est habillé avec un long manteau, et porte les cheveux longs. Et il tourne.

– Pardon ?

– La statue tourne autour d'un axe central. Je ne peux l'arrêter. Et voilà que je navigue à nouveau, sans gondolier cette fois. Mais le canal que j'ai emprunté m'amène en pleine nature. C'est magnifiquement apaisant, je suis entouré d'arbres, de plantes sauvages. Tout cela ne m'apparaît pas comme un paysage européen. C'est ailleurs, très loin. Là où je ne suis jamais allé. Le canal se rétrécit, et voilà que ma gondole est devenue une simple barque. Ah ! la voilà prise dans des lianes. Je ne peux plus avancer. Je vais devoir continuer en marchant.

– Faites donc... »

Banerjee demeura silencieux pendant un très long moment. Je redoutai ces silences, qui nous approchaient de la vingt-sixième et fatidique minute. Je regardai fébrilement le cadran de ma montre, alors que la trotteuse accomplissait son quatrième tour de cadran pour rien. Enfin, Banerjee se remit à me parler :

« Le gondolier est revenu. Il est toujours muni de son casque trop grand. Il regarde quelque chose avec une expression de crainte.

– Arrivez-vous à deviner de quoi il s'agit ?

– C'est un combat d'animaux.

– Quels animaux ?

– Une sorte de caméléon de la taille d'un chien, et une panthère noire. Le caméléon tient la lance du gondolier dans sa gueule. Il essaie de transpercer la panthère avec. Mais le tour du combat semble changer un peu. La panthère a récupéré la lance. Le caméléon s'en va, comme si se battre ne l'intéressait plus. La panthère s'en retourne également. J'hésite à la suivre. Je vais le faire, finalement.

– Attention à vous...

– Nous sommes de retour à Venise. Enfin je n'en suis plus si sûr, le décor ne cesse de changer. Non, il n'y a plus de canaux. Mais je suis à nouveau sous la fenêtre de la jeune femme.

– Et la panthère ?

– Elle a sauté sur le balcon en un bond. Elle est rentrée à l'intérieur. Et maintenant, il y a une pluie de confettis qui tombe sur moi.

– Ah ? Bon, ce n'est pas si étonnant, à Venise.

– Ce qui est étrange, c'est que le visage de lord Scriven est imprimé sur chacun de ces minuscules bouts de papier.

– Vous arrivez à le voir ?

– Je le sais. Les confettis forment un tas, à mes pieds. Ou plutôt, ils recouvrent quelque chose.

– Vous avez une idée de ce que c'est ?

– Oui, un corps. Un cadavre. Je crois que c'est un cadavre. Mais on distingue à peine sa forme sous les petits bouts de papier. Oui, c'est bien un corps humain, car je vois une main qui dépasse. La lance est plantée dans sa paume. »

« Quelle vision lugubre ! », pensai-je.

« Oh ! je...

– Oui ? »

Banerjee ne répondit pas immédiatement, et son visage se crispa. Puis, il dit :

« Quelque chose ne va pas. Il y a quelque chose d'inhabituel. »

Sa main se raidit dans la mienne, et je l'entendis respirer de manière saccadée, comme s'il étouffait. Le temps n'était pas écoulé, mais mon instinct faisait un foin de tous les diables : je savais que je *devais* réveiller Banerjee maintenant. J'entonnai donc le chant, attendant avec inquiétude de sentir la chaleur affluer à nouveau dans sa main. Tout se passa bien, fort heureusement : je le vis ouvrir les yeux, et reprendre pied petit à petit dans le monde éveillé. Je le sentais préoccupé, mais il n'avait pas l'air très disposé à discuter de l'incident.

« Eh bien ? fis-je.

– Voilà qui était fort instructif, me dit-il.

– Vous savez donc ce qui s'est passé ?

– En partie seulement. J'ai...

– Oui ?

– J'ai un *doute*. »

Le mot « doute » ne faisait pas partie du vocabulaire habituel de Banerjee. J'en frémis.

« Vous avez un doute... Puis-je savoir à quel niveau ?

– Je sais comment lord Scriven est mort. Je sais qu'il y a ici des personnes qui ne disent pas la vérité ; mais j'ignore si cela est suffisant pour les accuser.

– Une fois encore, je ne comprends goutte à votre rêve. Enfin, il était très distrayant, je ne vous mentirai pas. Mais bref, je vous écoute. »

Banerjee s'apprêtait à parler quand on frappa à la porte de la chambre. Je fronçai les sourcils et allai ouvrir, frustré de devoir remettre à plus tard les révélations. Lord Thomas m'apparut dans le chambranle. Le jeune homme affichait une mine sérieuse, et je devinais, aux imperceptibles mouvements de son corps, qu'il était en proie à une certaine nervosité.

« Ms. Dundee m'a dit que vous étiez ici, lança-t-il sèchement. Puis-je entrer ?

– Vous êtes chez vous, lord Thomas... » fis-je d'un ton las.

Le jeune lord fit deux pas en avant, et découvrit Banerjee assis sur le bord du lit. Il soupira, et demanda :

« Puis-je vous demander ce que vous faites chez nous ?

– Eh bien ! Scotland Y...

– Non, monsieur Carandini, ce n'est pas ça que je vous demande. Je sais que vous n'êtes pas de la police. »

Je déglutis.

« Et... que serions-nous, à votre avis, milord ?

– Je me suis rappelé le visage de M. Banerjee, tout à coup. Je l'ai vu dans un journal, il n'y a pas si longtemps. Une affaire de trafic d'art dans laquelle vous vous êtes illustré ? Vous êtes des détectives privés. D'ailleurs, inutile de jouer la comédie plus longtemps : je viens de téléphoner à votre "supérieur" à Scotland Yard. Il a d'abord corroboré votre version, mais je lui ai rappelé que, malgré mon jeune âge, et en tant qu'héritier de lord Scriven, il risquait gros à me cacher la vérité.

– Satané Collins, fis-je entre mes dents.

– Maintenant, messieurs, comme je vous l'ai demandé, je voudrais savoir ce que vous faites ici. Que cherchez-vous exactement ? »

Le blanc-bec avait de l'aplomb. Et une certaine autorité naturelle, il fallait le reconnaître. Mais en tant que fils de lord, il était né avec un titre de propriété dans la bouche, et sans doute avait-il été dressé dès son plus jeune âge à prendre de haut les gens du peuple. Toutefois, je n'arrivais pas à le trouver antipathique ; il y avait encore de la candeur en lui, et ses yeux brillaient d'un éclat intelligent. Et puis, après tout, sa méfiance n'avait rien d'illégitime. Je voulus dire quelque chose, mais Banerjee me devança :

« Lord Thomas, puisque vous savez qui nous sommes, il est juste de vous dire ce que nous voulons. Nous avons été mandatés par un tiers – dont nous ne pouvons révéler l'identité – pour enquêter sur la mort de votre père. Cette personne pense que votre père a été assassiné. La police ayant déjà conclu à la mort naturelle, il était nécessaire de passer par un biais moins officiel. »

Le jeune homme se tut, réfléchit, puis répondit :

« Un meurtre... Il y a certainement des dizaines de personnes qui se réjouissent de la mort de mon père. Peut-être autant qui l'ont souhaitée. Mais de là à passer à l'acte ? Et surtout, par quel moyen ? Mon père est mort dans une pièce presque hermétiquement close. Il n'y avait aucun signe de violence. Et nous étions nombreux ce jour-là... C'est ridicule.

– Ça ne l'est pas, lord Thomas. Et quand vous êtes entré, je m'apprêtais à donner à mon partenaire ma version des faits. »

Je sentais le jeune homme tiraillé entre l'envie de nous flanquer dehors et celle d'en savoir plus. Finalement, il déclara :

« Bien. Je vais jouer votre jeu encore quelques minutes. Après, je déciderai si je dois, oui ou non, vous jeter en pâture aux avocats de ma mère. Toutefois...

– Je vous écoute, lord Thomas, fit Banerjee.

– Il y a une condition. Je veux savoir qui vous a contactés. C'est Cardiff, n'est-ce pas ? »

Banerjee ne bougea pas d'un pouce. Mais j'ai toujours été un très mauvais joueur de poker, et j'eus du mal à dissimuler ma surprise.

« Votre air vous trahit, monsieur Carandini. Vous savez, tout le monde ici voit en moi un doux rêveur, qui passe son temps dans ses livres de mythologie et se soucie peu du monde extérieur. J'en ai pris mon parti. Mais c'est malgré tout assez loin de la vérité, et cela me laisse une certaine... latitude pour observer les gens. Cardiff vouait un culte à mon père, et mon père lui accordait une confiance illimitée. Je ne suis pas étonné qu'il soit venu vous voir. D'autant que...

– Oui ? demanda Banerjee.

– Une clause du testament de mon père stipule que s'il venait à mourir d'une mort accidentelle ou "violente", une rente annuelle de deux cents livres serait versée à Cardiff. »

Voilà qui changeait beaucoup de choses. Cardiff avait tout intérêt à ce que le meurtre soit démontré. Mais en allant plus loin, il avait aussi tout intérêt à ce que le meurtre *ait lieu*.

« Lord Thomas, commença Banerjee, j'accorde à la *vérité* une grande valeur. M'introduire ici en prétendant être ce que je ne suis pas m'a été difficile. Mais rien n'est plus grand que la confiance qu'un homme place en un autre homme. Pour fondés que soient vos soupçons, je ne confirmerai rien. »

Le jeune lord eut un petit rire.

« Peu importe, la tête de votre partenaire m'a déjà donné la confirmation que j'attendais. »

J'intervins, piqué au vif :

« Sauf votre respect, peut-être surestimez-vous un peu vos capacités, lord Thomas ?

– De là où je me tiens, je jurerais que c'est vous qui surestimez les vôtres. »

S'il ne me dépassait pas déjà d'une bonne demi-tête, j'aurais volontiers envoyé mon poing dans les gencives de ce jeune insolent. Il lut mon agacement, et tâcha, en bon diplomate, de calmer le jeu.

«Voici ce que je vous propose, nous dit-il. Je vais écouter vos révélations. Et si je suis convaincu, je ne répèterai pas à mère ce que j'ai appris sur vous. Si, en revanche, je soupçonne que vous êtes deux escrocs, j'avertirai non seulement mère, mais aussi la police. Marché conclu?

– Cela me semble honnête, répliqua Banerjee sur ce ton égal que je lui connaissais bien, et qui signifiait "ce que vous dites ne m'intéresse absolument pas".

– Bien, alors je vous écoute.

– Avant de procéder... Je crois que vous ignorez mes méthodes?

– Ont-elles quelque chose de particulier?

– Écoutez-moi, je vous prie...»

Banerjee expliqua alors au jeune homme notre modus operandi. Je m'attendais à ce que lord Thomas crie au fou, et nous fasse jeter dans un cachot. Mais il n'en était rien; il écouta attentivement, comme si ce que Banerjee lui racontait était l'évidence même. Après quoi, il dit:

«Cela me rappelle certaines de mes lectures. Je m'intéresse beaucoup à l'histoire des peuples d'Orient et à leur culture. Tout ce que vous venez de me dire ne m'est donc pas totalement étranger.»

Je n'en revenais pas: qui aurait cru que lord Thomas, tout guindé et empêtré dans les traditions qu'il était, se révèlerait aussi ouvert d'esprit? Ce garçon me surprenait décidément.

«Je vais donc vous écouter... avec un intérêt redoublé, je dois l'admettre.

– Permettez que je vous résume brièvement le rêve que je viens de faire, dans ce cas.»

Banerjee s'assit sur le bord du lit, et avec son débit hypnotique, reprit un à un les éléments de sa dernière transe. Puis, sans attendre la réaction de lord Thomas, il s'adressa à moi:

« Le gondolier et la jeune femme au balcon... Cette image m'a été inspirée, je crois, par la pièce *Roméo et Juliette*. Je ne l'ai pas encore lue, mais j'en connais l'argument. Dans l'Italie de la Renaissance, deux jeunes personnes s'aiment ; mais leurs familles respectives sont rivales, et s'opposent bien entendu à cette union. Et Roméo vient clamer son amour à Juliette sous son balcon.

– Je connais l'histoire, Banerjee, merci, fis-je. Mais en quoi cela a-t-il le moindre rapport avec notre cas ?

– Vous rappelez-vous le temps qu'il faisait ? Dans mon rêve ?

– Oui, il pleuvait, mais il y avait du soleil. Ce qui est assez rare, n'est-ce pas ?

– C'est, surtout, contradictoire. Sur un plan symbolique, je veux dire. Et que portait le gondolier ?

– Vous m'avez dit qu'il portait... un chapeau colonial, trop grand pour lui.

– De cela, mon cher Christopher, vous devriez pouvoir déduire la première partie de la présente énigme. »

Je me grattai le menton.

« Voyons... Nous cherchons deux personnes amoureuses ? En ce cas, il me semble qu'il n'y a pas trente-six possibilités. Lady Isobel et... Gerald Brown ? Est-ce cela que vous avez en tête ?

– Ma sœur ? s'exclama lord Thomas. Avec Brown ? J'espère que c'est une plaisanterie !

– N'intervenez pas pour le moment, lord Thomas, commanda Banerjee. »

Le ton était sans appel, et le jeune lord se tut sans même chercher à protester.

« Bon, Banerjee, poursuivis-je... qu'est-ce qui vous a amené à imaginer cela ?

– La familiarité, pour commencer. Vous n'y avez peut-être pas fait attention – et moi non plus sur le coup – mais M. Brown a appelé tout le monde par son titre. Lady Scriven, lord Thomas, etc. Tout le monde, sauf lady Isobel. Il s'est adressé à elle en disant seulement Isobel. De cela, on peut déduire qu'ils se connaissent mieux qu'ils ne le laissent penser.

– Cela m'avait échappé. Mais... est-ce là tout ? Un simple "lady" oublié, et vous sautez aux conclusions ?

– Non. J'en reviens à la pluie et à au soleil. Et à ce casque colonial trop grand pour mon gondolier. Comme vous le savez, la vertu première de ces casques est de protéger la nuque et les yeux du soleil.

– Oui... et ?

– Quand nous avons croisé lady Isobel et Gerald Brown pour la deuxième fois, tout à l'heure, M. Brown avait un chapeau de paille à la main. Il ne l'avait pas en arrivant.

– Qu'en savons-nous ? Il avait dû le confier à Ms. Dundee ou Cardiff.

– Dans ce cas, le chapeau aurait été au rez-de-chaussée, près de l'entrée. Mais lady Isobel et M. Brown étaient à l'étage. Je pense que le "tableau" que devait voir M. Brown était un prétexte pour lui restituer son couvre-chef. Qu'il avait oublié lors d'une précédente venue, de toute évidence. Et il ne tenait pas à ce que cela se sache. Ce casque colonial, dans mon rêve, s'est substitué au chapeau de paille. Un chapeau de paille "encombrant" est devenu un casque trop grand. »

Lord Thomas se faisait violence pour ne rien dire. Quant à moi, je rétorquai :

« Bon, admettons qu'ils aient une certaine intimité, et que le couvre-chef ait été oublié dans un endroit compromettant... Je vois bien le rapport avec le soleil, mais pas avec la pluie ?

– Un casque colonial comme un chapeau de paille protège du soleil. Quel temps fait-il, en ce moment ?

– À Londres, en tous les cas, il pleut des trombes depuis plus d'un mois, pourquoi ?

90

– Lady Scriven nous a dit que M. Brown n'était pas venu au manoir depuis un mois, justement. Il devait donc pleuvoir, et il n'y avait pas à amener un chapeau de paille.

– Hum... Continuez ?

– Or, lady Scriven nous a aussi appris qu'elle prenait l'air et le soleil le jour où lord Scriven est mort. Elle a dit que c'était le seul jour de soleil qu'il y ait eu en un mois. »

Lord Thomas devint rouge comme un piment. Je demandai :

« Vous en déduisez que Gerald Brown était là le jour du meurtre, n'est-ce pas ?

– Je ne déduis rien, je me contente d'observer les éléments que mon rêve m'expose. Sans mon rêve, je n'y aurais jamais pensé. Du reste, il y a un autre élément important dont je n'ai pas encore parlé : la musique.

– Ah oui ! Mais cela, même moi, je crois que je comprends. Vous avez dit que le gondolier chantait d'une voix mécanique... C'est la boîte à musique, n'est-ce pas ? Celle qu'il a offerte à lady Isobel ?

– Je le pense, oui.

– Et ce *Discobole* qui tourne sur lui-même ? Un rapport avec nos deux tourtereaux ?

– Qu'était supposée faire lady Isobel au moment de l'accident ? »

Je réfléchis, puis répondis :

« Je crois qu'elle était en train de jouer du piano. Du Liszt.

– Vous rappelez-vous à quel point elle a été embarrassée quand je lui ai demandé, bien innocemment d'ailleurs, de nous livrer un petit récital ?

– Oui, j'ai supposé qu'elle était timide.

– Lady Scriven considère pourtant que son interprétation de Liszt est digne d'une concertiste. Ce qui est surprenant, quand on sait à quel point Liszt est un artiste difficile à jouer. En deux ans d'études de piano seulement, lady Isobel pourrait-elle vraiment avoir un tel niveau ? Lord Thomas, qu'en pensez-vous ? »

Le jeune homme sursauta.

« Pardon ? Oh ! ma sœur... Eh bien ! elle se débrouille très bien, elle a une excellente oreille. Mais je ne l'ai jamais *vue* jouer du Liszt. Je l'ai entendue, comme ma mère.

– Bon sang, murmurai-je. Le *Discobole*... avec ses cheveux longs...

– Je crois que dans mon rêve, il symbolisait un *disque* de Franz Liszt, continua Banerjee. Le personnage tournait sur lui-même, un disque à la main, et répondait à l'image – peut-être fausse – que j'ai d'un compositeur d'Europe de l'Est au XIXe siècle. Or, il y a un gramophone dans le salon. Je pense que si nous cherchons bien, nous trouverons l'étude de Franz Liszt que lady Isobel prétendait jouer le jour de la disparition de lord Scriven. Une étude qu'elle serait incapable de jouer réellement. »

J'applaudis, et déclarai :

« Donc, je résume... Pendant que lady Scriven était dans le jardin, lady Isobel se trouvait quelque part dans le manoir avec Gerald Brown, après avoir mis un disque de Franz Liszt pour donner le change. C'est cela ?

– Je le crois.

– Elle aurait pu choisir quelque chose de moins compliqué à jouer.

– Il est possible qu'elle n'ait pas eu le temps de bien choisir. Ou qu'elle ignorait la difficulté du morceau qu'elle avait sélectionné. Je n'y connais pas tant de choses en musique, Christopher, mais je suppose que le terme "étude" n'évoque pas forcément une grande difficulté d'exécution. Lady Isobel sera allée un peu vite en besogne.

– Et si quelqu'un était entré dans le salon ?

– Je suppose que lady Isobel savait qu'elle ne risquait rien à cette heure-là. »

N'y tenant plus, lord Thomas protesta :

« Même si ce que vous avancez est vrai, monsieur Banerjee, en quoi cela a-t-il un rapport avec la mort de mon père ?

– J'ignore si cela a un lien direct, lord Thomas. Je ne contrôle mes rêves que dans une certaine mesure. Je ne choisis pas ce qui s'y présente. Toutefois, la suite devrait vous intéresser davantage. »

En même temps, lord Thomas et moi-même répondîmes :

« J'écoute ! »

Cette complicité involontaire nous amusa, mais Banerjee fit comme si de rien n'était.

« Christopher, vous rappelez-vous que le gondolier, dans mon rêve, portait une lance ?

– Oui, et cette lance se retrouve ensuite dans la gueule d'un... caméléon géant, répliquai-je.

– Cette lance symbolise l'arme du crime. Et je pense que comme beaucoup de gens, j'associe le caméléon à sa capacité à changer de couleur.

– Oui, c'est mon cas. Je peux sans mal imaginer que c'est le vôtre aussi. Le gondolier la portait... Il serait donc lié au crime, selon vous ?

– Peut-être. Mais ensuite, elle change de main. Enfin, je devrais dire qu'elle change de bouche.

– Le caméléon se bat contre une panthère noire. D'ailleurs, vous avez l'air de bien aimer les fauves, ce n'est pas la première fois que vous rêvez d'un grand félin.

– Les félins ont une forte puissance symbolique, vous ne l'ignorez pas, Christopher. Mais dans notre cas, il ne faut pas aller chercher bien loin. Car ce félin, après avoir dérobé la lance, parvient à sauter sur le balcon que nous avons vu au début du rêve.

– J'entends bien, mais...

– Cette panthère, c'est Cromwell, le chat de la maison. Mon rêve m'a permis de mettre en lumière un fait intrigant. Lord Thomas ?

– Oui ?

– Vous avez déclaré que Cromwell avait gratté à votre porte peu avant le décès de votre père. Il vous avait dérangé pendant votre lecture des *Mille et Une Nuits*.

– Oui, j'ai ensuite veillé à ce qu'il soit nourri en cuisine.

– Mais lady Isobel nous a dit qu'il s'était échappé du bureau de votre père quand Cardiff a forcé la porte. Or, ce bureau était fermé à clé, et votre père n'en est pas sorti, pour autant que nous sachions. Ce qui pose donc la question de savoir pourquoi Cromwell s'est retrouvé à l'intérieur. S'agit-il d'un chat aventureux ? »

Lord Thomas s'étrangla.

« Cromwell ? Vous plaisantez ! C'est certainement lui le plus aristocrate d'entre nous tous. Je ne suis pas certain de l'avoir vu un jour mettre le museau dehors. Tout ce qu'il sait faire, c'est nous attaquer par surprise et dormir sur des coussins en soie.

– C'est l'impression que j'en ai eu. Ce n'est pas le genre de chat qui s'enfuirait sur un toit, par exemple ?

– Ah ! certainement pas. Il préférerait mourir, je crois.

– Il n'y a qu'une entrée dans la pièce où le crime a eu lieu, hormis la porte. C'est la fenêtre. Elle comporte des barreaux, mais j'ai réussi à y enfoncer ma tête à moitié. Un chat passerait sans mal.

– Et il arriverait en volant ? ironisa lord Thomas.

– Il y a une petite corniche qui fait le tour de l'étage. Assez large pour qu'un chat y marche. Si quelqu'un avait attrapé Cromwell pour l'y placer, à partir d'une autre fenêtre de l'étage, et en prenant soin de refermer derrière lui...

– ... le chat aurait sans doute cherché le moyen le plus rapide de retourner à l'intérieur, complétai-je. Et cela aurait été la fenêtre ouverte du bureau. Mais vous ne suggérez quand même pas que c'est Cromwell qui a tué lord Scriven ?

– Il n'y a aucune autre possibilité, déclara Banerjee avec le plus grand calme. »

Lord Thomas ne tenait plus en place :

« Monsieur Banerjee, si c'est une plaisanterie, elle n'est pas du meilleur goût. Je vous somme de vous expliquer !

– Voyez-vous en moi quelqu'un capable de faire une plaisanterie, lord Thomas ? »

Personne, sur toute la terre, n'aurait pu répondre oui à cette question. Le jeune homme attendit donc l'explication.

« Quand nous avons visité la serre, nous avons fait la connaissance d'une grenouille jaune dans un vivarium. L'intensité et l'originalité de la couleur m'ont frappé. Cette grenouille est devenue le caméléon de mon rêve. Inconsciemment, je me suis rappelé quelque chose d'important à propos de cette grenouille. Il ne s'agit pas de n'importe quelle grenouille, n'est-ce pas, lord Thomas ?

– N... non, admit-il.

– Je n'ai de toute évidence pas votre érudition en matière de batraciens, fis-je, aussi pourriez-vous peut-être éclairer ma lanterne ?

– Mon père avait ses excentricités. Il rapportait fréquemment de ses voyages à l'étranger des animaux dangereux, qui arrivaient pour la plupart raides morts en Angleterre. Certains étaient plus chanceux, comme cette grenouille d'Amérique du Sud, dont la peau sécrète un poison très violent. Il m'avait expliqué que... »

Il s'arrêta, soupira, et conclut :

« Certaines tribus frottaient leurs pointes de flèche sur ces grenouilles. Cela suffisait à foudroyer un adversaire.

– ... et sans autopsie, poursuivis-je, on doit pouvoir confondre cet empoisonnement avec une crise cardiaque ? »

Banerjee précisa :

« J'ai noté que la peau de la grenouille était abîmée sur un flanc. Cela ne me paraissait pas particulièrement suspect sur l'instant, mais si nous mettons les faits bout à bout... »

Lord Thomas leva les mains.

« Attendez, attendez... Tout ceci est sans doute très séduisant, j'en conviens. Il y a une certaine logique dans les faits que vous exposez, mais... s'il est acquis que ma sœur et Brown se connaissaient mieux qu'ils ne l'admettent, et que Brown était probablement là le jour de la mort de mon père... Nous n'avons absolument *aucune* preuve qu'il y a bien eu crime !

– Pas pour le moment, admit Banerjee. Comme je vous l'ai expliqué, je ne fais que récolter et manipuler des faits. Je ne suis pas aussi habile en conjectures que mon partenaire ici présent. Toutefois, j'aimerais poursuivre un peu, si vous me le permettez. Car je ne vous ai toujours pas expliqué le lien entre Cromwell et la grenouille.

– Je vous écoute, alors.

– Je pense qu'on avait attaché sur Cromwell, peut-être à son collier, quelque chose de pointu imbibé du venin de la grenouille. C'est un angora, au poil très long : une petite pointe ne se remarquerait pas sous la fourrure. C'est probablement ce que symbolisait la lance de mon rêve.

– Et ce serait ce même objet mystérieux qui, si je vous ai bien suivi, s'est planté dans la main de mon père...

– Oui. Christopher m'a indiqué qu'on avait justement retrouvé une plaie très récente sur la main de lord Scriven. Il me semble probable que votre père ait tout simplement caressé Cromwell, et se soit blessé avec le piège qui lui était tendu. Le meurtrier s'attendait à ce que cela se passe ainsi.

– Soit. Mais cet objet pointu, quel peut-il être ? demandai-je.

– Une fois encore, tout est symbole, expliqua Banerjee. Votre père était chevalier, n'est-ce pas, lord Thomas ?

– Oui ?

– Mais de nos jours, les chevaliers ne combattent plus avec une lance. Un capitaine d'entreprise comme votre père combat en faisant des affaires, et en signant des contrats. Il combat avec une *plume*. »

Ni lord Thomas ni moi-même ne dîmes un mot. Banerjee poursuivit :

« Sur le bureau, nous avons trouvé une plume désolidarisée de son porte-plume. Qui comportait des fibres et des poils.

– Et alors ? objectai-je. Elle était sans doute là en guise de rechange.

– Je ne pense pas. Non seulement elle n'était pas rangée avec les autres – ce qui serait étonnant de la part de quelqu'un d'aussi soigneux que lord Scriven – mais en plus, elle était d'une épaisseur plus importante. Quand on a ses habitudes d'écriture, on ne les change pas impunément.

– Je vous l'accorde, admis-je. Mais donc ?

– Cette plume ne porte aucune trace d'encre séchée, ce qui nous permet de conclure que lord Scriven n'écrivait pas avec. Elle est différente de ses plumes habituelles, et a séjourné par terre. En conclusion, je pense que c'est cette plume qui portait le poison. Elle a dû tomber au moment de l'accident, et personne n'y a fait attention ensuite. Je suppose que Cardiff ou quelqu'un d'autre l'aura machinalement reposée sur le bureau par la suite, dans le désordre général, et sans soupçonner son importance. Et je suis également certain que si un laboratoire l'examine, il y découvrira la trace du poison.

– Cela serait la preuve formelle du crime ! s'exclama lord Thomas.

– Et croyez mon patron : vous l'aurez, votre preuve, milord, ajoutai-je. Mais… quid de cette pluie de confettis sur le cadavre, Banerjee ? Dans votre rêve, je veux dire ?

– Ah, oui ! bien sûr. Les confettis sont des petits bouts de papiers déchirés, n'est-ce pas, Christopher ?

– En effet. Dans la tradition italienne – et j'y connais quelque chose – il s'agissait de sucreries que l'on lançait durant les carnavals. Enfin, les temps sont durs, et on en est revenu à quelque chose de moins cher. »

Banerjee hocha la tête.

« Cette partie de mon rêve m'a rappelé que Cromwell a mis en pièces le sac en papier où M. Brown avait rangé ses cadeaux. Est-ce quelque chose qu'il fait souvent, lord Thomas ?

– Hélas oui ! On retrouve souvent le journal du jour en lambeaux. Je déteste cette bête. »

Je me frappai le front.

« Bonté divine ! La lettre...

– Quelle lettre ? demanda lord Thomas d'un ton suspicieux.

– Notre... client pense que votre père s'apprêtait à rédiger une lettre importante. Et que le meurtrier avait tout intérêt à ce qu'elle disparaisse. Mais si ce que vous dites sur Cromwell se vérifie, il peut très bien en avoir fait...

– ... des confettis, bien sûr... compléta lord Thomas.

– Et vous rappelez-vous avoir vu des bouts de papier dispersés dans le bureau de votre père, quand vous y êtes entré ? »

Le jeune lord plongea son visage entre ses mains, et resta un long moment ainsi. Puis, d'une voix faible, il répondit :

« Oui. Mais nous avons tellement l'habitude, avec Cromwell, que tout a dû finir à la poubelle. Nous n'y faisons même plus attention. »

Lord Thomas se mit à faire les cent pas, de toute évidence fort perturbé. Puis, il se figea devant nous, et demanda :

« Bien. Quelqu'un a utilisé notre chat pour assassiner mon père. Cette personne tenait à ce qu'une certaine lettre disparaisse. Brown, l'un des plus proches associés de mon père compte fleurette à ma sœur. Et cette même personne était là, en secret, le jour du meurtre. Si nous admettons que tout cela est vrai – l'analyse de la plume devrait nous aider – pensez-vous que Brown ait quelque chose à voir avec le meurtre ? Qu'il ait séduit Isobel pour apprendre certaines choses ?

– Je ne peux vous dire davantage que ce que mon rêve m'a révélé. Je vous l'ai dit : l'enquêteur, c'est M. Carandini. Pas moi. Je ne suis que le rêveur.

– Je vais avoir une petite explication avec Brown, en tous les cas, tempêta le jeune homme.

– Mais je vous écoute, milord », fit une voix derrière nous.

Dans notre agitation, nous n'avions pas remarqué que la porte s'était ouverte. Gerald Brown fit un pas vers nous, un revolver à la main.

« Brown ! s'exclama lord Thomas. Que fabriquez-vous ? Pourquoi êtes-vous armé ?

– Ne prenez pas cet air supérieur avec moi, milord, rétorqua Brown. Tout lord que vous êtes, vous n'êtes pas à l'épreuve des balles. Je vous suggère de ne pas vous agiter, et tout se passera bien. Enfin, peut-être.

– C'est vous, Brown ? Vous avez tué mon père ? C'est bien cela ? Et Isobel, dans quoi l'avez-vous traînée ?

– J'aime sincèrement Isobel, fit Brown d'un air désolé. Nous nous serions mariés si...

– Si quoi ? Vous avez le double de son âge ! Je doute que père aurait approuvé ce mariage.

– Oh ! non, sans doute pas, en effet. Mais nous aurions fui. Tout cela n'a plus d'importance, à présent. Milord, poussez-vous, je vous prie. Ces deux fouineurs doivent mourir. »

Voilà qui n'était pas la meilleure nouvelle de la journée.

« Milord, insista-t-il, je n'hésiterai pas à vous abattre aussi. S'il vous plaît, ne m'y obligez pas.

– Vous pensez nous tuer et filer d'un claquement de doigts ? m'exclamai-je. Désolé, ça ne marchera pas comme ça. »

Banerjee me fit signe de me taire. Alors, d'un pas très apaisé, il s'avança vers Brown.

« Monsieur Brown, dit-il calmement, remettez-moi votre arme.

– Reculez ou je tire !

– Vous ne tirerez pas.

– Oh, que si !

– Non, martela Banerjee. »

Il avança encore, et c'est Brown qui recula.

« Cessez de me regarder ainsi ! Je vous l'interdis !

– Ne fuyez pas mon regard, monsieur Brown.

– Arrêtez ! Taisez-vous ! »

Banerjee tendit la main vers Brown, paume vers le ciel.

« Remettez-moi votre arme, monsieur Brown.

– Vos yeux ! Vos yeux ! Qui êtes-vous, espèce de démon ? lança Brown dans un hoquet.

– Peut-être ne suis-je qu'un rêve, monsieur Brown. Quel mal pourrait vous faire un rêve ? »

Brown tremblait comme une feuille. De là où nous étions, Banerjee nous tournait le dos. Quelle diablerie avait-il encore sortie de son sac ? J'avais le cœur battant, m'attendant à tout instant à ce que notre agresseur fasse feu et abatte mon patron. Mais c'est ce dernier qui semblait maîtriser la situation.

« Détendez-vous, monsieur Brown. Oubliez ce qui vous torture. Laissez-vous aller. Acceptez la main tendue.

– Vous... vous ne savez pas ce qu'il peut nous faire, bredouilla Brown dans un demi-sanglot. Je ne veux pas... Je ne veux pas... »

De qui pouvait-il bien parler ?

« Monsieur Brown, prenez ma main, insista Banerjee. Elle vous est offerte sincèrement.

– Sortez de ma tête ! hurla Brown.

– Je suis là, devant vous, pas ailleurs. »

Brown hoqueta.

« Il n'y aura aucun répit pour moi. Jamais. Vous n'imaginez pas la torture qui m'attend si...

– Je peux vous aider. Laissez-moi le faire.

– Il n'y a qu'une chose qui pourra m'aider, désormais ! »

Alors, à notre plus grande horreur, Brown retourna son arme contre son propre cœur et fit feu. Il s'écroula à un mètre à peine de Banerjee.

Je fus à ses côtés en un instant. Lord Thomas, aussi choqué qu'on pouvait l'imaginer, se laissa tomber sur une chaise, la bouche ouverte dans une expression de détresse totale.

« J'ai échoué, lâcha Banerjee d'une voix faible.

– Je ne sais pas ce que vous lui avez fait, m'exclamai-je, mais je dirais plutôt que vous nous avez sauvés !

– Il n'avait pas à mourir.

– Je préfère que cela soit lui que nous, désolé si ma philosophie de la vie est aussi pragmatique, hein ! »

Lord Thomas, recouvrant ses esprits, s'approcha de nous.

« De qui parlait-il ? Qu'est-ce qui s'est passé ? demanda-t-il à grand-peine, comme si l'air lui manquait.

– Il va nous falloir le découvrir, répliqua Banerjee. Si vous nous le permettez.

– Je... N'ayez crainte. Je m'en remets à vous, à présent. »

Nous restâmes debout tous les trois, sans rien dire, à contempler le spectacle sordide qu'offrait ce corps inanimé à nos pieds. Bientôt, toute la maison serait alertée puis, bien sûr, la police. Ces murs allaient trembler sous les hurlements, les pleurs, et les questions. Et pourtant, alors qu'une vague d'angoisse remontait de mon ventre à ma gorge, je ne pus m'empêcher de dire :

« Banerjee... Je sais que ce n'est pas le moment, mais ça me démange depuis tout à l'heure... Ça ne change rien au sens de votre rêve, bien sûr, mais *Roméo et Juliette*, ça se passe à Vérone. Pas à Venise. »

VII

L'appel du passé

« Bon... Qu'est-ce que je vais bien pouvoir faire de vous, maintenant ? Oui ? », grogna le superintendant Collins.

Peu après son arrivée, il nous avait installés, Banerjee et moi, dans le réfectoire des domestiques, au sous-sol du manoir, avec l'ordre de ne pas en bouger jusqu'à son retour. Je connaissais Collins depuis quelques années ; c'était un homme diablement intelligent, fiable, sérieux... Mais ce qui le rendait fréquentable, c'est qu'il n'était pas non plus dénué de faiblesses très humaines. La gentillesse, pour commencer, ce qui ne constituait pas forcément un atout dans sa profession ; une addiction maladive aux jeux, également. C'est par le biais de ces faiblesses – et de mes indiscrétions – que j'avais pu obtenir de lui une aide régulière au cours de mes précédentes investigations. J'aimerais dire que ces « collaborations forcées » nous avaient rapprochés, et fait de nous des amis : ce n'était pas le cas. Collins nourrissait à mon endroit une certaine sympathie, peut-être même du respect, mais jamais il n'avait montré un comportement que j'aurais pu qualifier d'amical. Conciliant, tout au mieux. Voilà pourquoi je redoutais quelque peu sa réaction : nous avions tout de même usurpé les identités d'inspecteurs du Yard, et plus ou moins poussé un homme au suicide. Collins avait donné son aval à la première partie, bien malgré lui, mais il risquait de se montrer un peu moins coulant avec la seconde.

« Je vous rassure au moins sur un point, ajouta-t-il en lissant sa moustache. Je n'ai pas dit à lady Scriven et sa petite famille qui vous étiez vraiment. Officiellement, vous êtes en train de me faire un rapport, oui ?

– C'est très aimable à vous », fis-je.

J'en avais très envie, et pourtant, ce n'était vraiment pas le moment de rire : Collins était un solide Écossais, avec ce qu'il fallait de sourcils broussailleux et d'yeux de braise pour vous faire sentir minable. Hélas pour lui, il avait aussi ce tic de langage qui consistait à rajouter un « oui ? » traînant et aigu après quasiment chacune de ses phrases. Tout le monde l'imitait dans son dos, moi le premier. Il devenait de plus en plus difficile de l'entendre, quelles que soient les circonstances, sans avoir envie de pouffer.

Sentant que quelque chose ne tournait pas rond – mais loin de soupçonner quoi – il abattit ses deux mains à plat devant la table qui nous séparait, et approcha son visage de celui de Banerjee.

« Monsieur Banerjee... Je ne vous connais pas, mais j'ai entendu parler de vous, oui ? Et d'après ce que j'ai entendu, vous êtes quelqu'un de très pragmatique, oui ? Alors, dites-moi : à ma place, vous feriez quoi de deux énergumènes comme vous ?

– Je ne suis pas à votre place et ne pourrai jamais y être. La question n'a pas de sens. Chaque être a une place unique dans l'univers. »

Collins se redressa, poitrine bombée, l'air outré.

« Je sais bien que si vous êtes ici, c'est parce que je vous y ai autorisés, oui ? fit Collins. Je vous ai même donné des informations, oui ? Mais je ne pensais pas que nous nous retrouverions avec un mort sur les bras. J'imaginais que Carandini allait fouiner, poser ses questions, et que vous alliez tous les deux repartir comme si de rien n'était. En fait, c'est même ce que Carandini m'avait promis, oui ? »

Je me pinçai la cuisse pour réfréner ce fou rire parfaitement déplacé qui montait en moi. Collins me fusilla du regard.

« Je suis très partagé à votre sujet. Très partagé, oui ? J'ai une folle envie de vous faire passer une nuit en cellule. Ce serait une bonne leçon pour vous deux, oui ? Mais d'un autre côté... »

Un « oui ? » de plus et j'allais exploser, je le savais. J'essayai de me pénétrer de tout ce que la situation avait de fâcheux, désagréable, angoissant, dangereux.

« Il y a ce jeune lord Thomas, oui ? Il a corroboré votre version des faits, et m'a demandé expressément de ne pas vous compliquer la vie. Il n'est pas majeur, mais c'est déjà quelqu'un, oui ? Quelqu'un qui va hériter de l'influence de son père... et pour moi, la retraite est encore loin, oui ? »

Je n'en pouvais plus. Je m'écroulais, la tête entre mes genoux, agité de soubresauts. J'aurais voulu disparaître, rentrer dans un trou de souris, mais c'était plus fort que moi. Collins se tut puis, après un moment, posa une main sur mon épaule.

« Allons, Carandini, dit-il d'une voix qui se voulait apaisante, ne pleurez pas. Vous avez subi un choc, oui ? Mais vous n'êtes pour rien dans ce qui est arrivé, je vous crois, oui ? Allez prendre l'air. D'accord, oui ? »

Je sautai sur l'occasion ; les yeux rouges, les joues couvertes de larmes, je me levai de ma chaise et courus à l'extérieur du réfectoire. Là, je laissai éclater mon hilarité pendant deux bonnes minutes. Que tout ceci était embarrassant ! Alors que je reprenais le contrôle, j'aperçus lord Thomas, qui venait d'échapper aux questions des agents de Collins. Il se dirigea vers moi d'un pas décidé.

« Eh bien ? Un souci avec le superintendant Collins ? me demanda-t-il.

– Oh ! non, non, rien de grave. Comment... Comment va votre sœur, lord Thomas ? »

Le jeune homme prit un air grave.

« Elle est effondrée, bien sûr. D'après ce que j'ai compris, Brown lui faisait miroiter un mariage prochainement. Quelque chose de très romantique. Enfin, quoi qu'il en soit, elle avait l'air d'être amoureuse pour de bon. Quant à ma mère, elle est très choquée également. La vie n'a pas été tendre avec elle depuis son accident. »

Désormais parfaitement calmé, je demandai :

« Si ce n'est pas indiscret, comment est-ce arrivé exactement ? Son accident ? »

Lord Thomas s'assombrit.

« J'étais un tout jeune enfant, vous savez. C'était un accident de voiture. Mon père avait acquis l'un des premiers modèles de Panhard & Levassor. Beaucoup de choses ont changé depuis, on roule de manière bien plus sûre... Officiellement, c'est un nid de poule sur la route qui lui a fait perdre le contrôle. En réalité...

– Oui ?

– J'ai déjà entendu une autre version à plusieurs reprises. Notamment lors de disputes entre mes parents.

– Lord Thomas, je ne vous demande rien. Ne vous sentez pas obligé de... »

Il haussa les épaules.

« Je sais bien. Mais je vais vous le dire quand même. Je crois que c'est ma mère qui conduisait. Et je crois aussi que c'est mon père, passablement éméché après une soirée, qui l'avait forcée à prendre le volant. »

Je gardai le silence, et lord Thomas reprit :

« J'imagine très bien ce que vous pensez : ma mère avait une raison d'en vouloir à mon père. Sans doute. Mais si je vous en parle maintenant, c'est pour que vous ne partiez pas sur une fausse piste en l'apprenant plus tard. Elle n'aurait jamais fait ça, croyez-moi. Elle est incapable d'un acte de malveillance, et pas seulement à cause de son handicap. C'est sa nature. Alors quelque chose d'aussi... diabolique. Non, c'est impossible.

– Si vous le dites... »

Banerjee et Collins réapparurent quelques instants plus tard. Mon patron affichait son air le plus serein, et Collins, curieusement, paraissait moins agité que quelques minutes auparavant. Je me demandais ce qu'ils avaient pu se raconter en mon absence. L'un des officiers s'avança alors vers notre petit groupe en se grattant le crâne.

«Ah! monsieur le superintendant, vous êtes là! s'exclamat-il. On vous cherchait.

– Un problème, oui?

– C'est le valet, Cardiff: il a eu un malaise. Et maintenant qu'il a recouvré ses esprits... il est amnésique.

– Allons bon», lâcha Collins en levant les yeux au ciel.

Cardiff se trouvait étendu sur un divan, dans une pièce voisine, un linge mouillé sur son front. Il avait le regard vitreux, le teint aussi blanc qu'une craie, et ses bras pendaient dans le vide. Il tourna la tête vers nous, mais ne parut nullement nous reconnaître. Il pouvait jouer la comédie, bien entendu – c'est ce qu'il avait fait à notre arrivée au manoir – mais mon flair me disait qu'il n'en était rien. Hélas!

«Alors, mon brave? On ne se souvient de rien, oui? demanda Collins.

– Je... je vous prie de m'excuser, monsieur, mais c'est la vérité, marmonna faiblement Cardiff. J'ai l'impression de me réveiller d'un cauchemar.»

Je me tins derrière Collins, et fis un geste complice à Cardiff. Il le capta, mais je ne lus qu'un effroi poli dans son regard.

Collins insista:

«Quelle est la dernière chose dont vous vous souvenez?

– Je... Je cirai les chaussures de milord. Et puis, j'ai eu l'impression qu'on me frappait à la tête. L'instant d'après, tout est devenu noir. Jusqu'à ce que j'entende un coup de feu! Je me suis alors vu dans le couloir, et j'ai encore perdu connaissance.

– C'est tout, oui?

– Oui, monsieur. Et je ne comprends pas le pourquoi de toute cette agitation. Quelqu'un pourrait-il m'expliquer ? Pourquoi Scotland Yard est-il là ? Où est lord Scriven ? »

Collins, patiemment, repassa en revue les trois derniers jours. À chaque phrase, Cardiff se décomposait un peu plus encore. Finalement, il éclata en sanglots, geignant « Oh non, milord ! » de temps à autre.

Voilà qui était commode ! Cardiff nous avait fourrés dans un pétrin insondable en prétendant être la nouvelle incarnation de son ancien maître, et maintenant, monsieur nous tirait sa révérence comme si de rien n'était. J'aurais dû être ravi pour lui, mais ce retour à la raison (ou cette amnésie, donc, s'il fallait le croire) présentait un autre souci, et de taille : nous n'avions plus de client.

« Je ne vous embête pas plus pour le moment, monsieur Cardiff, oui ? J'espère que vous irez mieux très vite.

– Cela ira, cela ira », pleurnicha l'intéressé.

Collins jeta un regard sévère à Banerjee puis à moi, et nous dit :

« Quant à vous deux, ne vous éloignez pas, je n'en ai pas fini, oui ? »

Lord Thomas nous fit signe de le suivre, et nous gagnâmes un petit boudoir attenant au grand salon. Par une porte entrouverte, on pouvait voir Collins engager la conversation avec lady Scriven. Alistair, prostré au fond d'un fauteuil trop grand pour lui, faisait peine à voir. C'était là beaucoup d'épreuves pour un enfant aussi jeune. Le reste de la maisonnée devait s'agiter ailleurs.

« J'ai quelques questions à vous poser, monsieur Banerjee, commença lord Thomas après s'être assuré que personne ne nous entendait.

– Ah ! ça tombe bien, moi aussi, fis-je. Je vous laisse commencer, lord Thomas. »

Le jeune homme eut un geste d'embarras :

«Écoutez, oubliez le "lord". Thomas suffira largement.

– Eh bien... à vous, Thomas.

– Monsieur Banerjee, je continue à ne pas comprendre ce qui s'est passé avec Brown. Il nous menaçait, et vous l'avez regardé... d'une façon qui semblait le terroriser. Il vous a demandé de "sortir de sa tête".»

Banerjee ferma les yeux un instant et ajusta le col de sa veste. Puis, avec détachement, il dit :

«La maîtrise du rêve n'est pas la seule de mes compétences. Une personne dans un état de grande agitation se met d'elle-même dans une sorte de transe. Je peux agir sur cette transe. Je ne suis pas "rentré dans sa tête". J'ai simplement pris le contrôle de ses émotions.

– Mais... comment? intervins-je. Vous êtes un magicien!»

Banerjee eut l'air peiné.

«Oh! il n'y a rien que je déteste plus que ce mot. Cela n'a rien à voir avec la magie. Ce n'est... qu'un guidage, si vous préférez.

– De l'hypnose? demanda Thomas.

– Appelez cela de la manière qui perturbe le moins vos croyances. Reste que jamais je n'ai souhaité sa mort. C'était son choix. Et je suis triste de n'avoir pu l'empêcher.»

Je croisai les bras, me frottai le menton, puis déclarai :

«Malgré les apparences... je ne suis pas persuadé que Brown soit à l'origine du meurtre de lord Scriven. Il a certainement quelque chose à y voir, bien sûr. Mais je crois qu'il était là pour autre chose. Banerjee, qu'en pensez-vous ?

– C'est vous le déductif, je vous l'ai déjà dit. J'ai "rêvé" ce qu'il y avait à rêver pour le moment. Vos conjectures, à présent, valent bien les miennes.»

Thomas fronça les sourcils.

«Brown était sur le point de nous tuer! Il aurait très bien pu tuer mon père avant.»

Je secouai la tête.

« Il était avec votre sœur, ce jour-là. Croyez mon instinct : il cherchait sans doute quelque chose, oui, mais pas à commettre un crime. Le meurtrier est une autre personne, j'en mettrais ma main au feu. Du reste, rappelez-vous ce qu'il a dit : "vous ne savez pas ce qu'il peut nous faire". Il travaillait pour quelqu'un, ça ne fait pas un pli. »

Lord Thomas hésita, puis dit :

« Mais qui, alors ?

– Ah ! ça... C'est ce que j'aimerais bien découvrir. De qui peut-on avoir peur au point de se supprimer ? Enfin, de toutes les manières...

– Oui ? s'impatienta Thomas.

– Je ne suis plus journaliste. Et M. Banerjee et moi ne travaillons pas pour le plaisir. Enfin, surtout moi. J'ai peur que tout cela reste un mystère, d'autant que notre client s'est soudain rappelé qu'il n'était pas fou. Nous n'avons plus rien à faire là.

– C'est exact, confirma Banerjee. Cela ne serait pas convenable. Je crois d'ailleurs que nous devrions présenter nos excuses et partir. Nous avons, malgré nous, causé beaucoup de tracas ici. Si le superintendant veut bien nous excuser, bien entendu. »

Thomas se renfrogna, visiblement en proie à une grande réflexion intérieure. Puis, il se lança :

« Attendez... Et si, moi, je vous employais ? Si je devenais votre client ? Monsieur Banerjee, qu'en pensez-vous ?

Votre confiance m'honore, Thomas. Mais cela me semble difficilement envisageable.

– Et pourquoi donc ? » s'offusqua le jeune homme.

Je pris la parole :

« Thomas, je peux vous parler franchement ?

– Je n'attends rien d'autre de vous, monsieur Carandini.

– Vous êtes un garçon intelligent, très intelligent, même. Mais vous êtes mineur, et même si je sais bien que vous héritez du titre de votre père, je ne pense pas que cela vous donne l'autorité suffisante pour devenir notre client. Que dirait votre mère ? »

Le jeune homme eut un sourire rusé.

« Je ne peux pas le faire directement, c'est vrai. Mais mon père possédait un certain nombre de sociétés, qui me reviendront à terme. Pour être franc, je n'ai absolument aucune compétence dans le domaine des affaires, sans même parler de l'intérêt. Mais... il n'empêche qu'actuellement, les personnes à la tête des sociétés en question s'interrogent beaucoup sur leur avenir, et ont tout intérêt à être en bons termes avec moi. Je me débrouillerai sans mal pour vous faire payer de la manière la plus officielle. Ma mère n'en saura rien. J'en fais une affaire personnelle.

– Thomas, pouvez-vous me rappeler votre âge ? demanda Banerjee.

– J'ai dix-sept ans. J'en aurai bientôt dix-huit. » Banerjee hocha la tête.

« Vous n'êtes pas moins raisonnable à cet âge que vous le serez à l'avenir. J'accepte votre offre. Nous trouverons ce qui se cache derrière toute cette histoire, je vous le promets. »

Le visage de Thomas s'illumina, et il tendit la main à Banerjee avec enthousiasme.

« Parfait, monsieur Banerjee ! Je vous tiendrai au courant. Savez-vous par où commencer ?

– Oui », fit-il avec calme.

Il tira de la poche de son veston un portefeuille.

« Je ne comprends pas ? s'étonna Thomas.

– C'est le portefeuille de M. Brown.

– Hein ? Quoi ? m'exclamai-je. Mais quand ? Je ne vous ai pas vu faire ? Je croyais que Collins avait fouillé le corps ?

– Et j'ai, en quelque sorte, fouillé Collins pendant que nous discutions.

– Mais vous êtes pickpocket, aussi ? Depuis quand ?

– Christopher, vous savez très bien que de temps à autre, la providence a besoin qu'on l'aide un peu. »

Je l'observai avec attention : il n'était pas impossible qu'il ait eu, en cet instant, l'air un peu plus fier de lui qu'il n'aurait aimé le reconnaître. Ah ! quel humain pourrait se débarrasser complètement de l'orgueil ?

« Puis-je jeter un coup d'œil ? demandai-je.

– Je vous en prie. »

J'ouvris le portefeuille ; quelques billets de banque, un ticket, des cartes de visite. Je parcourus celles-ci distraitement. Quand j'arrivai sur la dernière, toutefois, je crus que mon cœur allait s'arrêter. Banerjee perçut mon trouble :

« Christopher ? Quelque chose ne va pas ? »

Je lui tendis la carte sur laquelle je m'étais arrêté, et annonçai, d'une voix faible :

« Banerjee... Le passé vient de me rattraper. »

*

J'aurais voulu que nous nous échappions plus vite du manoir. Hélas ! Collins en avait décidé autrement, et malgré toute sa bienveillance, nous n'avions pas coupé à une nouvelle salve de questions plus ou moins embarrassantes.

Cependant, il n'était pas davantage dans son intérêt que dans le nôtre de nous jeter en pâture à lady Scriven ; notre couverture officielle avait tenu bon. Au final, après une bonne heure de tergiversations, nous étions repartis de notre côté, Banerjee et moi, donnant à lady Scriven le prétexte de devoir rendre notre rapport au plus vite.

Sur le coup, je n'avais pas souhaité m'étendre sur la carte trouvée dans le portefeuille de Brown ; peut-être ne faisais-je pas encore suffisamment confiance au jeune lord pour lui dévoiler ce qui, à la vérité, était la cause de ma situation présente.

Mais dès que je fus dans le train du retour avec Banerjee, je mis un terme à mes mystères :

« Banerjee, commençai-je, je vous dois des explications.

– Comme il vous plaira, Christopher. Si vous pensez être prêt.

– Il ne s'agit pas d'être prêt, je n'ai simplement pas d'autre choix que de vous en parler. Je crois ne jamais avoir été très précis avec vous à propos de ce qui m'avait amené à... cesser mon activité précédente.

– Non, en effet. Mais cela ne me semblait pas opportun dans le cadre de notre collaboration.

– Je crois que ça l'est désormais. Banerjee, avez-vous déjà entendu parler d'un individu nommé Ruben Kreuger ? »

Banerjee réfléchit un instant, puis répondit :

« Parlons-nous bien de l'industriel ? Suédois ?

– D'*origine* suédoise, précisai-je. La famille Kreuger est anglaise depuis trois générations, maintenant. Mais bref, oui, nous parlons bien de la même personne. Et c'est son nom qui se trouvait sur la carte de visite, dans le portefeuille de Brown. Il y a un lien entre les deux, cela me semble évident.

– Poursuivez. Vous avez l'air de bien connaître cet individu.

– Bien, reprenons à la base. Comme vous avez l'air de le savoir, Kreuger Steel, la compagnie à qui Kreuger a donné son nom, est devenue l'une des plus grandes aciéries du pays. Mais il ne s'est pas arrêté là : il y a un peu plus d'un an, Kreuger est entré en politique. Or, quand quelqu'un comme Kreuger se mêle de politique, vous pouvez parier que dans neuf cas sur dix, c'est pour faciliter ses propres affaires, et pas dans l'intérêt du pays. Bref, je me méfiais et j'ai commencé à enquêter sur lui. Par pure routine, en fait : je ne savais pas a priori si j'allais trouver quoi que ce soit. Mais j'avais mes doutes. Mon sixième sens, vous savez.

– Très bien, et qu'avez-vous appris ? »

Le moment était venu pour moi de m'allumer une pipe. Banerjee attendit patiemment la fin de mes préparatifs, puis je repris :

« Dans un premier temps, je me suis contenté d'ouvrir grand mes oreilles, au cas où quoi que ce soit d'un peu inhabituel concernant Kreuger se présentait. Et c'est alors que j'ai entendu parler de ce militaire russe qui avait tout récemment émigré dans notre beau pays. Cet ancien colonel avait été arrêté lors d'une bagarre dans un pub : jusque là, rien que de très normal, me direz-vous. Mais il se trouve que lors de son arrestation, l'individu avait fait des pieds et des mains pour parler à Kreuger. La police a cédé, et quelques heures plus tard, mon Russe était libre. Pourquoi ? Je ne pouvais pas m'empêcher de trouver très louche que Kreuger ait un quelconque rapport avec un haut gradé d'une puissance ennemie.

– Vous connaissant, vous avez dû essayer de contacter cet officier ?

– Vous pensez bien que oui. Je l'ai même rencontré, sans trop de difficulté, sous un prétexte d'article totalement fallacieux. L'homme habitait un superbe appartement sur le Strand, qu'il ne s'était certainement pas offert avec sa solde de militaire.

– Vous a-t-il révélé quoi que ce soit ?

– Après une bonne heure à parler de la Mère Russie et de sa Grande Armée, j'ai feint d'admirer son bel appartement. Il m'a répondu qu'il avait des amis en Angleterre qui l'avaient aidé à s'installer au mieux. Je n'ai pas relevé, et lui ai demandé s'il avait quelque chose à boire. Nous avons pris un verre, puis un deuxième... Et au dixième, même si je ne tenais plus sur mes jambes, j'ai réussi à lui extirper ce que je pressentais : ses liens avec Kreuger remontaient à l'époque où il était encore militaire en Russie. Kreuger lui vendait des secrets. Des secrets industriels, principalement. Mais avec ses nouvelles accointances politiques, Kreuger était sans doute en mesure de monnayer des choses encore plus intéressantes. »

Je tirai quelques bouffées de tabac, avant de poursuivre :

« J'aurais aimé faire témoigner mon Russe. Mais deux jours après notre entrevue, il a disparu sans laisser aucune trace. A-t-il été tué ? A-t-il fui ? Aucune idée. Mais je tenais mon affaire, et je ne comptais pas la lâcher. Alors, sous une fausse identité, je me suis fait embaucher au siège de Kreuger Steel en tant que garçon de courses. Mon idée, c'était de pouvoir fouiller dans les archives de Kreuger, et d'y trouver une trace, même maquillée – d'ailleurs, elle ne pouvait être *que* maquillée – des transactions avec la Russie. Seulement...

– Que s'est-il passé ?

– Quelqu'un m'a reconnu. Je me suis pris une raclée d'anthologie, et je peux remercier le ciel que Kreuger n'ait pas soupçonné ce que je cherchais vraiment. Je suis revenu à mon point de départ, sans l'ombre d'une preuve à dégainer. Kreuger, dont l'influence est immense, m'a fait perdre mon travail, ma maison... Vous connaissez la suite. »

Banerjee traça une forme indéfinie dans la buée de la fenêtre. Puis, il me dit :

« Vous êtes quelqu'un de tenace, Christopher. Et pourtant, vous n'avez pas persévéré...

– J'ai eu d'autres chats à fouetter : je devais penser à ma subsistance avant de penser à Kreuger. Et quelque part, j'ai sûrement préféré l'oublier, tirer un trait sur l'homme qui a tenté de me briser. Et y est presque parvenu. »

Banerjee réfléchit, puis :

« Avez-vous une idée de l'endroit où les documents compromettants, s'ils existent, pourraient se trouver ?

– Hélas ! oui. Je dis "hélas !" parce que la salle des archives de Kreuger Steel est une forteresse, fermée par un triple verrou inviolable. Je me suis retrouvé devant cette porte massive des dizaines de fois avant de me faire prendre la main dans le sac. »

Ma pipe s'était éteinte ; je la rallumai pendant que Banerjee demandait :

« Avez-vous une idée de la manière dont Kreuger transmettait les informations aux Russes ?

– Ah ! C'est le nœud de tout, au fond. Car mettre la main sur les informations est une chose, prouver qu'il les vend à l'extérieur en est une autre. Je peux vous dire que tout le temps qu'a duré mon petit espionnage chez Kreuger, je n'ai strictement rien remarqué. Les informations sont transmises de manière rapide, efficace, inédite... et parfaitement invisible. Au nez et à la barbe de nos glorieux services de renseignement. Enfin... Cela ne sert à rien de penser à tout cela : le passé est le passé, et j'ai échoué. Kreuger est un trop gros gibier pour moi. »

Banerjee arrangea un pli sur sa manche droite, et demanda :

« Brown avait une carte de visite de Kreuger sur lui. Pensez-vous que Kreuger soit lié, de près ou de loin, au meurtre de lord Scriven ? »

J'agitai franchement la tête :

« Brown n'agissait certainement pas de son propre chef, cela me semble parfaitement évident. Cette carte de visite ne peut pas être une coïncidence : il n'y a jamais de fumée sans feu. Je suis absolument sûr que Brown travaillait pour Kreuger, et que ce dernier avait des raisons d'en vouloir à lord Scriven. Kreuger est derrière tout ça, j'en mettrais ma main à couper. »

Banerjee, les deux mains jointes, resta figé un petit moment. Puis, il lança, déterminé :

« Je vous promets que nous tirerons tout cela au clair très vite.

– Banerjee, ma foi, cela ne vous ressemble guère d'être aussi affirmatif ! Vous m'en voyez perplexe.

– Je crois que cette affaire inachevée vous pèse énormément, Christopher, et je souhaite plus que tout vous libérer de ce poids. Pour notre bien à tous les deux. Sans quoi, un jour, vous me quitterez pour vous mettre en règle avec le passé. C'est évident. C'est votre nature.»

Je souris.

«Vous commencez à bien me connaître, à ce que je constate. Et je suis flatté.

– Flatté?

– Oui. Que vous teniez autant à moi. J'ai tellement l'impression que ce que je fais pour vous est... interchangeable? Que n'importe qui pourrait s'en charger.»

Banerjee haussa les épaules d'un air complice.

«Tout le monde est unique, Christopher. Vous le savez bien. Mais...»

Il hésita, puis conclut:

«Je dois bien reconnaître que vous l'êtes peut-être un peu plus que tous mes précédents collaborateurs.»

Je n'eus pas l'occasion de commenter; une fois ces paroles prononcées, il se cala dans un coin du wagon, la tête penchée, et ferma les yeux. Après un petit moment, lassé par la lecture du journal, je me résolus à l'imiter. Je me revis dans le bureau de mon patron le jour de mon renvoi; dans les rues de Londres, sans un shilling en poche. En conséquence, je fus très soulagé de me faire réveiller par le contrôleur.

*

Dès le lendemain, Banerjee insista pour que nous allions rôder autour du siège de Kreuger Steel, ce bâtiment aux allures de château fort auquel j'avais, en vain, tenté d'arracher ses secrets. Il se situait comme de bien entendu au cœur de la City, sur une artère pourtant moins austère que ce à quoi le quartier peut habituer le passant. De l'autre côté de la rue, un petit parc arboré servait de terrain de jeu à de jeunes enfants, mais aussi à des chiens et

– je l'avais naguère appris à mes dépens – à des voleurs à la tire extrêmement habiles. Rien n'avait vraiment bougé depuis ma dernière venue. Le même marchand de glaces polonais qui se faisait passer pour un Italien, le même joueur d'orgue de barbarie dont l'instrument – déjà assez désagréable à mes oreilles en temps normal – connaissait des ratés dissonants et particulièrement affreux. Même Banerjee, d'ordinaire si stoïque, me parut crispé. Fort heureusement, la torture fut de relativement courte durée, et céda la place à une valse à la rigueur plus acceptable.

Pendant un moment, donc, nous observâmes des allées et venues somme toute très ordinaires, dans l'espoir d'y repérer quelque chose de louche. Mais bien évidemment, la réponse à l'énigme ne risquait pas de nous tomber du ciel, comme une caille déjà rôtie. Au bout d'un moment, je jugeai qu'il était temps de changer notre fusil d'épaule et de réfléchir sérieusement à la manière de nous introduire dans le bâtiment. Je connaissais l'emplacement de la fameuse salle des archives, bien sûr, mais son terrible verrou continuerait à poser problème. À cela également, il fallait trouver une solution.

Alors que je me levais du banc où nous étions assis, Banerjee m'attrapa par le bras et me demanda de me rassoir.

« Un souci ? demandai-je.

– C'est encore un peu dur à dire, Christopher.

– Vous avez toute mon attention.

– Nous sommes observés. Par une femme. Sur votre droite. »

N'importe qui aurait tourné la tête dans la direction indiquée ; mais j'étais un professionnel, et n'aurais pas commis une telle erreur.

« Laquelle ? m'enquis-je.

– Tout près du marchand de glaces, sur le banc. Elle porte un châle, et une robe sombre.

– Je crois l'avoir vue. Mais pourquoi dites-vous qu'elle nous observe ?

– Parce qu'elle le fait. »

L'assurance de Banerjee pouvait être très agaçante. Je répliquai, sceptique :

« Et de là où vous êtes, Banerjee, sans tourner la tête, vous pourriez le jurer ?

– Oui. »

Je n'insistai pas. Toutefois, après un temps de réflexion, j'ajoutai :

« Je doute que cette personne travaille pour Kreuger : s'il est derrière le meurtre de lord Scriven, il doit être sur ses gardes, mais... il n'a aucun moyen de savoir que nous le soupçonnons. Banerjee, vous avez bien rendu tous vos livres à la bibliothèque ?

– En temps et en heure. »

Mon trait d'humour, comme souvent, était tombé à plat. Tant pis. J'insistai :

« Dans ce cas... je me demande qui pourrait bien nous surveiller de la sorte. »

Banerjee ajusta le col de sa chemise, puis me dit :

« Je l'ignore. En attendant, je ne pense pas qu'elle sache que nous parlons d'elle en ce moment. Pas encore, du moins, mais méfiance : le langage du corps est parfois plus explicite qu'on ne l'imagine. Il est à mon sens important que nous sachions qui elle est. Peut-être pourriez-vous vous approcher d'elle ?

– Moi ? Et pourquoi pas vous ?

– Vous savez bien que je n'excelle guère dans l'action.

– Ce n'est pas ce qui m'avait semblé, au manoir. Mais si vous y tenez ! C'est vous le patron, après tout. »

On peut difficilement imaginer, sauf à en avoir déjà fait l'expérience, comme il est compliqué de se diriger vers quelqu'un tout en lui donnant l'illusion qu'il n'existe pas, que notre but est ailleurs. Tout à coup, chacun de nos mouvements devient laborieux, pénible, contre nature. C'est donc avec la grâce d'un manchot impérial rhumatisant que je mis le cap vers notre observatrice. Conformément à ce que m'avait annoncé Banerjee, la drôlesse se prélassait à côté du marchand de glaces, qui déclamait ses parfums dans un mélange d'anglais et de polonais prononcé avec l'accent italien (pour la plupart des promeneurs, le roulement des r accréditait sans ambiguïté les origines napolitaines du vendeur). À mon approche, la femme eut la réaction toute naturelle de sursauter et chercher par où prendre la poudre d'escampette. J'en fus somme toute rassuré : une professionnelle n'aurait jamais réagi de cette manière, et j'avais donc affaire à une amatrice. Une amatrice prudente toutefois, car elle eut la présence d'esprit de dissimuler son visage à l'aide de son châle. J'approchai encore, tâchant de ne lui donner aucun indice de nature à l'alarmer davantage. Je fouillai mes poches d'un air détaché, et en sortis quelques piécettes que je comptai dans le creux de ma main. J'étais tellement fier de cette trouvaille que je me sentis, l'espace d'un instant, comme le nouvel Harry Irving[1]. Mais peut-être n'était-ce pas là tout à fait le rôle de ma vie, car notre espionne, à mon arrivée, m'offrit son dos et s'en alla d'un pas pressé. Je la suivis tout en gardant mes distances, et la vis s'arrêter à quelques mètres de moi. Que pouvait-elle bien faire ? Alors, elle reprit son chemin et laissa tomber quelque chose à terre, d'une manière qui me semblait tout sauf involontaire. C'était un bout de papier roulé en boule, que je m'empressai de ramasser et rendre à sa forme initiale. J'y lus les mots suivants, griffonnés à la hâte au crayon :

Kreuger est à moi. Oubliez tout ça.

Je levai les yeux, mais l'auteure du mot avait disparu au cœur de la foule infernale qui se répandait sur les trottoirs.

---

1. Célèbre acteur de l'époque victorienne.

Que penser de tout cela ? Comment avait-elle su ? Plus le temps passait, plus j'avais l'impression qu'au bout du fil que nous tirions, il y avait une pelote énorme, monstrueuse, tellement grosse, en fait, qu'elle risquait bien de nous rouler dessus et nous écraser.

Quand je revins auprès de Banerjee, celui-ci était occupé à épousseter sa manche droite.

« Raté ! fis-je, dépité.

– Ce n'est pas grave. Nous la reverrons.

– Qu'en savez-vous ?

– Vous tenez un mot à la main. Je suppose que c'est une sorte de mise en garde ? C'est donc, en réalité, une invitation à nous revoir. »

Je soupirai :

« Vous avez vraiment l'esprit tordu. Ça doit être épuisant, d'être vous. Mais vous avez raison, je crois. Au fait...

– Oui ?

– Il y a une piste que je n'avais pas eu le temps de creuser, quand j'étais chez Kreuger : son homme de confiance, Atherton. *Horatio* Atherton, vous parlez d'un prénom. C'est lui qui va déposer les documents aux archives, en fin de journée. J'avais noté qu'il utilisait un trousseau de trois clés assez complexes, qui me semblent difficiles à contrefaire. Atherton est a priori incorruptible et dévoué corps et âme à Kreuger, mais... il y a peut-être un moyen de lui "emprunter" le trousseau ? Je ne vois pas d'autre solution. Pour ce qui est d'entrer dans les locaux, je suppose que nous trouverons un moyen. Encore faut-il qu'Atherton soit toujours dans les parages...

Banerjee plissa les yeux.

« Avez-vous une idée quant au moyen de l'approcher ?

– Oui. Tout le monde a ses petits secrets... Et je crois bien connaître celui d'Atherton. »

VIII

Cassandra

C'est une théorie qui n'engage que moi, bien sûr, mais je suis depuis longtemps convaincu que chaque personne possède une couleur qui lui est propre, sans que je puisse vraiment m'expliquer le pourquoi de ces associations inconscientes. J'ai connu des gens qui étaient verts, orange. Banerjee, lui, m'évoquait un joli bleu nuit ; et j'étais persuadé d'irradier personnellement un rouge sombre. Toutefois, il faut le reconnaître, j'avais rencontré une exception à cette règle arbitraire. Et cette exception s'appelait Horatio Atherton. Pendant les quelques semaines qu'avait duré mon infiltration chez Kreuger Steel, Atherton m'était apparu comme le seul être de ma connaissance que l'on puisse qualifier d'incolore. Et que l'on s'entende bien : incolore, cela veut dire incolore. Ça ne veut pas dire *gris*, car des individus gris, j'en connais un paquet, et Atherton n'en fait pas partie. Ça ne signifie pas davantage *noir*, même si le noir est supposé représenter l'absence de couleur. Non : Atherton était incolore au sens où il paraissait à peine exister.

Il bougeait, parlait, criait parfois, mais je m'étais plus d'une fois demandé s'il ne s'agissait pas d'une marionnette mue par des fils invisibles. Même ses vêtements n'avaient aucune couleur, comme si la lumière refusait de s'y accrocher. Sans doute était-ce pourquoi Kreuger lui accordait une pareille confiance : qu'a-t-on à craindre de quelqu'un qui n'existe pas ?

Et pourtant, à deux reprises, j'avais vu Atherton se rapprocher de l'idée que je me fais d'un être vivant. Deux jours de suite, il était venu travailler dans un costume raisonnablement élégant, un œillet à la boutonnière. Cela ne l'avait certes pas rendu solaire pour autant, mais l'amélioration était nette. J'en avais tout naturellement déduit – comme, d'ailleurs, la plupart des autres employés – qu'il y avait de la romance dans l'air. Qui pouvait bien être l'heureuse élue ? Le deuxième soir, frustré de ne pouvoir soutirer ses secrets à Kreuger, je m'étais changé les idées en prenant Atherton en filature, ce qui m'avait au final mené à un petit théâtre du West End. Là sévissait une certaine Cassandra Neville, actrice de seconde zone qui, si j'en jugeais par l'affiche, avait effectivement de quoi faire tourner les têtes. Mais je n'avais alors pas réalisé quel profit je pouvais tirer de tout cela.

Je me rappelai vaguement qu'Atherton avait travaillé pendant de nombreuses années au sein de la filiale américaine de Kreuger Steel, d'où il était revenu peu avant ma propre entrée dans la société. Il avait rapporté du Nouveau Monde – disait-on – de nouvelles techniques commerciales révolutionnaires.

Avant de regagner notre bureau de Portobello Road, je décidai de me renseigner sur les pièces qui se jouaient en ce moment. Cassandra Neville ne figurait dans aucune d'entre elles, mais un guichetier zélé m'informa que la diva effectuerait son retour sur les planches d'ici une petite semaine, dans une adaptation au rabais de *L'Importance d'être constant* d'Oscar Wilde. C'était parfait.

Quand je revins à notre bureau, je trouvai Polly en plein rangement. Rien que de très habituel, si ce n'est qu'elle paraissait extrêmement soucieuse. J'allai aux nouvelles :

« Eh bien ! Polly ?

– Eh bien quoi ? me répondit-elle d'un ton qui n'appelait pas la discussion.

– Vous m'avez l'air d'être embêtée par quelque chose. Je me trompe ?

– Oh ! tout va bien. Beaucoup de travail à finir, c'est tout.

– Bien, déclarai-je, fort peu convaincu. Je vous laisse donc. »

Alors que j'allais monter, Polly me retint et, avec une mine très embarrassée, elle me demanda :

« Vous allez voir Banerjee ?

– Oui... Et du reste, je vous rappelle que j'habite également ici.

– Peut-être devriez-vous... attendre un peu. Je vous prépare un thé ? »

Je la fixai avec toute la perplexité qu'on imagine.

« Polly... Allez-vous enfin me dire ce qui ne va pas ici ?

– C'est-à-dire, commença-t-elle, que Banerjee a... »

Elle n'eut pas le temps de finir. J'entendis, à l'étage, le bruit d'un meuble qui chute, suivi d'un juron. Du moins, je *pensais* qu'il s'agissait d'un juron, car le mot n'était pas anglais. Était-ce de l'indien ? Ne prêtant plus aucune attention aux mises en garde de Polly, je courus jusqu'en haut de l'escalier, puis entrai dans le bureau de Banerjee, d'où le bruit m'avait semblé provenir. J'y découvris mon employeur le visage crispé, couvert de sueur ; il referma avec hâte un tiroir en me voyant. Une chaise gisait renversée, que je remis d'aplomb.

« Tout va bien ? demandai-je.

– Tout va bien, Christopher. Une petite maladresse de ma part. »

J'eus une fois encore l'occasion de constater que Banerjee était un menteur absolument effroyable. J'étais résolu à ne pas insister lorsque tout à coup, un détail attira mon attention sur le sol. C'était un petit bout de bois peint, que je ramassai. Banerjee eut un geste d'impatience et tordit la bouche. J'examinai ma prise : il s'agissait, sans aucun doute possible, d'une pièce de puzzle.

« Banerjee, fis-je, puis-je savoir ce qui se trouve dans le tiroir que vous venez de refermer ?

– Rien que mes documents de travail », affirma-t-il avec un manque de conviction digne d'un politicien en fin de carrière.

Je lui tendis la pièce de puzzle.

« Vous maintenez, yeux dans les yeux, que si j'ouvre ce tiroir, je n'y trouverai pas d'autres pièces comme celle-ci ? »

Il détourna le regard sans rien dire. Je m'assis à la place qu'occupent habituellement les visiteurs, posai la pièce sur le bureau, et calmement, je demandai :

« Banerjee... Vous venez de vous énerver après un puzzle, n'est-ce pas ? Vous avez tout envoyé par terre, crié, renversé une chaise... et tout rangé à la va-vite quand vous m'avez entendu monter ? Est-ce que je me trompe ? »

Il se laissa tomber sur la chaise en face de moi, résigné, et se confessa :

« Malgré toute la sagesse dont j'essaie de faire preuve au quotidien, malgré l'enseignement qui m'a été transmis... je dois bien l'admettre, une chose encore est capable de me prendre en défaut, de me laisser en proie aux sentiments les plus vulgaires : les jeux de patience. Et les puzzles en particulier. »

Je n'en croyais pas mes oreilles.

« Mais vous êtes la patience incarnée !

– Je dois bien en convenir, mon cher Christopher : je suis plus patient avec les gens, les idées, qu'avec les choses inanimées. Je perds toute dignité face à un objet qui me résiste. Ce puzzle est mon pire ennemi. Voilà deux ans que je cherche à en venir à bout. La malheureuse Polly en sait quelque chose ; je suis persuadé qu'elle a essayé de vous dissuader de monter. C'est que cela finit toujours de la même manière.

– Banerjee, j'ai du mal à comprendre. Vous percez à jour les plus grands mystères, et vous me dites qu'un puzzle en bois vous...

– ... me met en échec, oui. N'y cherchez aucune logique : chacun vit avec ses contradictions. Ainsi sont faits les hommes. »

Je n'arrivais pas à décider ce qui était le pire : que Banerjee se transforme en brute vociférante devant un puzzle, ou qu'il ait essayé de me cacher la vérité comme un enfant pris la main dans le sac.

« Si vous voulez, commençai-je, je peux peut-être vous donner un coup de main ? Je ne suis pas mauvais, en général. Enfin, la dernière fois que j'ai essayé, en tous les cas. Je devais avoir dans les... dans les... »

Je ne parvins pas à terminer ma phrase : le ridicule de toute cette scène avait fini par me rattraper. Je mis une main devant ma bouche pour étouffer un hoquet de rire et Banerjee, conciliant, me dit :

« Peut-être serait-ce une bonne idée de regagner votre chambre ? Nous reparlerons de ce que vous venez de découvrir plus tard. Je parle de notre enquête, bien entendu. Ah ! une dernière chose !

– Oui ? pouffai-je.

– Lord Thomas avait demandé l'analyse rapide de la plume. Elle contenait bien des traces d'un poison violent, j'ai eu un message de sa part. Le crime est donc désormais une certitude, plus une simple hypothèse.

– Par... parfait ! »

Je pris la poudre d'escampette : il fallait absolument que mon fou rire cesse. Ah ! quelle journée !

*

Les jours suivants, Banerjee me demanda de chercher quels liens pouvaient exister entre Kreuger et le défunt lord Scriven. Je n'eus aucune peine à le découvrir. Au cours des dernières années, les deux hommes avaient été impliqués dans de nombreux projets communs, en particulier dans le domaine de la construction navale militaire. L'un fournissait les canons, l'autre l'acier pour la coque. Mais les deux sociétés n'avaient jamais opéré de rapprochement : leur présence dans les mêmes projets ne relevait pas d'une volonté de l'une ou de l'autre. Tout cela était un bon point de départ, à défaut d'être l'explication recherchée.

La veille de la première représentation de la pièce où sévissait Cassandra Neville, Banerjee et moi-même allâmes lui rendre une visite. Notre plan était simple : lui faire croire qu'Atherton était un ami à nous, et que nous voulions lui faire une petite farce pour son anniversaire. À vrai dire, l'idée était de moi : Banerjee, lui, n'aimait guère ce type de mises en scène. Il y avait toutefois consenti sans trop rechigner.

Le théâtre était pire que dans mon souvenir. Il était déjà miraculeux que la ville n'ait pas décidé d'abattre ce bâtiment insalubre et branlant ; j'étais d'autant plus étonné que qui que ce soit ait pu imaginer qu'on pouvait y donner une pièce de théâtre, et a fortiori une œuvre de Wilde. Nous décidâmes de nous présenter directement à l'accueil, où un jeune homme assez élégant, affairé à classer des papiers, nous salua sans grande amabilité :

« Le théâtre est fermé, commença-t-il par nous dire. La première est demain. Mais vous pouvez déjà acheter un ticket, bien entendu.

– Nous ne manquerons pas de le faire, rétorqua Banerjee, mais nous sommes venus pour autre chose. »

Le jeune homme secoua sa tignasse rousse avec une moue suspicieuse.

« Autre chose... Pas de problèmes en vue, j'espère ? Cette fois, tout est en règle.

– "Cette fois" ? demandai-je.

– Gêné, il me dit :

– Oui, enfin... Désolé, je vous ai pris pour des poulets, l'espace d'un instant. Mais vous n'avez pas l'air de poulets, à la réflexion. Enfin, surtout pas lui. »

Il désigna Banerjee d'un signe de tête, et celui-ci ne s'en émut pas.

« Nous aimerions présenter nos hommages à Ms. Neville, précisa Banerjee. Et lui demander une petite faveur. »

Le jeune homme alluma une cigarette avec nonchalance, puis nous fixa avec amusement.

« Une faveur, pas vrai ? Voyez-vous ça. Et je parie que vous ne pouvez pas m'en dire plus, hein ?

– Vous êtes devin, ma parole, rétorquai-je.

– Non, je ne suis pas devin, fit le jeune homme en fronçant les sourcils. Juste le directeur de cette troupe de minables. Et le metteur en scène de la pièce. Et pas mal d'autres choses encore, mais certainement pas devin. Sinon, je ne serais pas là. En revanche, je sais bien flairer les entourloupes. Et vous savez quoi ? Vous ressemblez tous les deux à une entourloupe. Vous ne verrez pas Cassandra avant de m'avoir expliqué ce que vous lui voulez.

– Vous êtes bien jeune pour avoir autant de responsabilités, répliqua Banerjee comme s'il n'avait pas écouté un traître mot de ce que lui avait servi le rouquin.

– Ouais ? Alexandre le Grand avait dix-neuf ans quand il a conquis le monde, vous savez.

– Vous comptez conquérir quoi ? demandai-je, un peu agacé. Ce trou à rats ?

– Un point pour vous, admit-il. Mais ne changeons pas de sujet. Dites-moi ce que vous lui voulez, à Cassandra. Je suppose que ce n'est pas pour son talent d'artiste que vous êtes venus ? Elle se prend pour Sarah Bernhardt, mais pourrait tout aussi bien vendre du poisson. Après, faut avouer qu'elle est mignonne, la louloutte. C'est bien pour ça que je la garde. Elle m'amène du monde. Elle a même des fidèles, qui ne rateraient pour rien au monde une de ses prestations. Aujourd'hui, c'est grâce à ces cinglés que je gagne ma vie.

– Justement, fis-je. C'est bien à ce propos que nous sommes là. »

Le rouquin nous envoya une bouffée en pleine figure, et sèchement, demanda :

« Oui ? Je vous écoute.

– Un de nos amis est un grand inconditionnel de Ms. Neville, expliqua Banerjee, et nous aimerions profiter de la première, demain, pour lui faire une petite surprise.

– Je ne sais pas trop si... Ah ! Mais voilà justement notre diva. Vous allez être fixés tout de suite. »

Une femme venait d'apparaître au bout du couloir, au bras d'un homme qu'elle laissa partir dans une autre direction. Elle se dirigea vers nous avec une telle lenteur que je la pensai souffrante ; la suite devait nous montrer qu'elle était juste chichiteuse. Comment la décrire ? C'était assurément une femme superbe, dans sa trentaine, avec des yeux d'un vert de jade et des cheveux auburn dont les ondulations m'évoquaient... En fait, elles ne m'évoquaient rien, et c'était bien là le problème. Elles auraient *dû* exciter un tant soit peu ma verve poétique, mais le fait est que Ms. Neville n'exhalait pas le moindre mystère. Elle était exactement ce qu'elle paraissait : une jolie peinture sans âme, un rien vulgaire. Cela se confirma dès qu'elle ouvrit la bouche. Je vérifiai par réflexe qu'un corbeau ne s'était pas immiscé dans le hall, mais non : c'était bien elle qui parlait. J'eus une pensée désolée pour Oscar Wilde, et laissai Banerjee mener la conversation.

« Miss Neville ? C'est un grand honneur de vous rencontrer. »

L'actrice jeta un coup d'œil intrigué à son directeur, dont le vague geste du bras signifiait « laisse les parler, on verra ».

« L'un de nos amis fête prochainement son anniversaire, et il nous semble que c'est l'un de vos admirateurs.

– Peut-être, fit-elle avec dédain. J'en ai tellement, des admirateurs. Comment il est, votre gusse ? »

Banerjee se figea comme une statue, et j'embrayai :

« Il est... Comment dire ? Mmmm... Ni grand ni petit. Un peu dégarni, mais il a quand même des cheveux. Pas très mince, mais pas gros non plus. »

Cassandra Neville nous examina de la tête aux pieds, puis déclara :

« Pas très précis, tout ça. C'est vraiment votre ami ? Vous n'avez pas l'air de bien le connaître.

– C'est-à-dire que...

– Son prénom est Horatio », précisa Banerjee.

À ces mots, la pétulante Cassandra sembla se vider de toute vie. J'eus presque l'impression de voir des cernes se creuser comme par magie sous ses yeux ; elle venait de vieillir de dix ans en une seconde.

« Pas le Horatio qui est... Enfin, comme vous avez dit : ni grand ni petit, ni gros ni mince, ni chauve ni... Oh ! mon Dieu !

– Un souci ? demanda le rouquin en voyant son poulain changer de couleur.

– Dis à ces types de partir, lança avec empressement la diva. Je ne veux pas leur parler. »

Le rouquin haussa les épaules.

« Vous avez entendu la dame. Faudrait songer à y aller. »

Mais Banerjee ne l'entendait pas de cette oreille, et durcit le ton :

« Madame, monsieur, il n'est pas dans nos habitudes d'être éconduits de la sorte. La moindre des choses serait que Ms. Neville nous confie le motif de son refus. »

Un index accusateur tendu vers nous, Cassandra Neville s'écria :

« Votre ami ! À chaque fois que je joue à Londres, il est là à m'attendre devant la sortie des artistes. À me sourire, sans dire un mot. Il n'a jamais été capable d'en prononcer un. Il se contente de me tendre un bouquet, auquel il a parfois joint un poème de son cru. Et après, il me suit jusqu'à mon hôtel, à bonne distance. Un soir, j'ai regardé par la fenêtre à deux heures du matin : il était là à épier ma chambre, sous un bec de réverbère. Il me terrorise, et je ne veux rien avoir affaire avec ce fou. »

Banerjee caressa son menton, puis déclara :

« Le silence est le non-agir par excellence. Pourquoi en avoir peur ? »

Ms. Neville fit la seule réponse possible :

« Hein ? Quoi ?

– Si je puis l'exprimer autrement, continua Banerjee, notre ami ne vous a encore jamais nui autrement que par son silence et son inaction. Or, c'est généralement par l'inverse que l'on juge un homme.

– Hey ! s'exclama le jeune rouquin. Vous voudriez pas écrire une pièce, vous ? Je cherche de l'inédit.

– Gareth, le coupa Ms. Neville, tu crois que c'est le moment ? Tu as entendu ce que je viens de dire, ou quoi ? »

Banerjee poursuivit :

« L'attitude de notre ami vient de sa timidité extrême, et de l'admiration qu'il vous porte. Si vous lui donniez sa chance, les choses s'en trouveraient certainement modifiées.

– C'est hors de question !

– Minute, intervint celui qui s'appelait donc Gareth. Je suis certain que ces messieurs ont une proposition, disons, chiffrée à nous faire, que je serais curieux d'entendre. »

Banerjee sourit – un effort surhumain pour lui.

« En effet. Nous aimerions vous offrir dix livres sterling afin que Ms. Neville invite notre ami dans sa loge pendant, disons, deux heures.

– Mais vous me prenez pour qui ou quoi, au juste ? hurla l'actrice.

– Dix livres, répéta rêveusement Gareth. C'est plus que ce que l'on gagne parfois en une semaine. Voire un mois...

– Gareth ? s'inquiéta Cassandra Neville. Tu ne songes pas à...

– Tais-toi et sois un peu polie avec ces gentlemen, commanda Gareth. Ils veulent faire plaisir à un ami ; quel mal à ça ? Et ça couvrira ce que madame m'a coûté pour le moment.

– Mais Gareth, tu ne comprends donc pas que j'ai peur de ce type ? Qui sait ce qu'il pourrait me faire. Et puis, je suis actrice, pas...

– Oui, enfin ça, ça se discute, ma poulette. Quand je me suis lancé dans le théâtre, c'est pas forcément à toi que je rêvais pour porter mes mises en scène. Alors écoute : tu acceptes cette offre, ou tu vas jouer ailleurs.

– Sale petit blanc-bec ! s'exclama-t-elle. Ça n'a même pas de poil au menton et ça me donne des ordres !

– Oh ! si tu crois que tu peux trouver mieux ailleurs, ne te gêne surtout pas, mais si tu penses rester, ce sera à mes conditions. On ne peut pas cracher sur trois livres. »

D'un ton qui se voulait rassurant, Banerjee précisa :

« Si je puis me permettre, miss Neville, vous ne craignez absolument rien. Nous nous cacherons dans votre loge, pour surgir et surprendre notre ami avec un gâteau et des bougies. Vous pourrez bien sûr vous joindre à nous.

– Vous vous fichez de moi ? »

Imperturbable, Banerjee ajouta :

« Bien entendu, si sa conduite venait à être déplacée, nous serions là pour intervenir également.

– Trois hommes dans ma loge, dont deux cachés. C'est supposé me rassurer ? »

Gareth avait des étoiles dans les yeux en pensant à la somme promise. Elle n'était d'ailleurs pas anecdotique, mais nous pouvions tout à fait la soutirer à lord Thomas : il s'agissait de l'enquête, après tout.

– Tu me paieras ça », grogna Cassandra Neville en poignardant Gareth du regard.

Elle se tourna vers nous, mains sur les hanches :

« Quant à vous, eh bien... Je n'ai plus qu'à écouter vos salades. »

IX

Le lendemain, j'étais devant le bâtiment de Kreuger Steel pour l'ouverture des bureaux, dans l'espoir de vérifier ma théorie sur Atherton. Discrètement, depuis l'autre côté de la rue, j'observai l'arrivée des employés ; ils me paraissaient tous absolument identiques. Toutefois, ce que j'espérais arriva finalement. Au sein de cette masse uniforme se détacha soudain un individu dont la bonne humeur était palpable, même là où je me tenais. En d'autres circonstances, je ne l'aurais pas remarqué ; mais aujourd'hui, il brandissait un bouquet de fleurs encombrant, qu'il allait sans doute laisser dans un vase pour la journée. Ses collègues risquaient bien sûr de se poser des questions, mais on pouvait compter sur le sérieux des employés de Ruben Kreuger pour ne pas lui faire une seule remarque. C'était parfait : notre poisson ferré, il n'y avait plus qu'à attendre le soir.

Je revins à notre bureau de Portobello Road le cœur rempli d'optimisme. En entrant, j'entendis un bruit de planche en bois que l'on brise, qui venait de l'étage.

« Le puzzle ? demandai-je à Polly.

– Le puzzle », répondit-elle.

Je résolus d'aller lire un livre dans ma chambre, sans même passer la tête dans le bureau de Banerjee : je savais ce que j'allais y trouver, et je préférais laisser mon patron seul avec ses petites lubies. Il ne restait plus qu'à attendre le soir, et à ruminer notre plan.

Nous retournâmes au théâtre une heure environ avant le début de la représentation. Gareth nous avait invités à passer par l'entrée des artistes, qui donnait sur une ruelle – idéale pour se faire égorger. Il régnait dans les coulisses une effervescence certaine, mais différente de ce à quoi je m'attendais. Les acteurs de la troupe du jeune Gareth semblaient assez peu concernés par leur sort ou l'accueil qui leur serait fait. L'un d'entre eux déambulait, la pipe au bec, en caleçon et chaussettes ; un autre était en train de pratiquer des gargarismes à grand renfort de bruits révoltants ; quant à celui que j'identifiais comme le costumier, il courait d'un couloir à un autre en battant des bras, une cape nouée autour du cou. Ce théâtre, en réalité, ressemblait fort à un asile d'aliénés. Ms. Neville, déjà en costume de scène, apparut alors. Elle était toujours aussi belle, et toujours aussi peu charismatique. Elle se dirigea vers nous de son pas traînant désormais familier, et déclara sans préliminaires :

« Vous voilà, donc... Pour une actrice de mon rang, être obligée de... Bref. Pour information, si vous voulez surprendre votre ami, il n'y a qu'une solution possible : vous cacher derrière le paravent japonais qui me sert à me changer. Et il faudra vous tenir à carreau ! Un éternuement et votre surprise tombe à l'eau. Vous avez le gâteau ? »

Je tendis une boîte en carton tenue par une ficelle. Elle soupira et demanda :

« Je dois le supporter deux heures, n'est-ce pas ?

– C'est entendu comme ça, en effet, répondit Banerjee. Dites-moi : votre loge donne bien sur la ruelle par laquelle nous venons d'entrer ?

– Oui, pourquoi ?

– Simple curiosité. Pouvons-nous patienter dans votre loge *pendant* la représentation ? Si jamais notre ami nous voyait avant, il n'y aurait plus de surprise.

– Faites comme vous voulez, du moment que je ne vous revois jamais après. »

Elle nous installa donc entre son paravent et une fenêtre masquée d'un rideau épais, avec toute la mauvaise grâce du monde.

Quand nous fûmes seuls, je demandai :

« Banerjee, comment voyez-vous la suite des choses ? Si l'on parvient à récupérer les clés, il faudra encore sortir d'ici.

– En effet. C'est pour cela que j'étais aussi intéressé par cette fenêtre. »

Je m'étranglai :

« La fenêtre ? Nous sommes au premier étage ! Nous allons nous rompre le cou !

– Non.

– Comment ça, "non" ? Bien sûr que si !

– Faites-moi confiance.

– Je n'ai guère d'autre alternative. »

Le lieu était si mal insonorisé que nous pouvions pratiquement assister à la pièce de là où nous étions ; nous fûmes avertis du lever du rideau par un concert d'applaudissements et de cris, puis de l'entrée en scène de Ms. Neville par des sifflets peu élégants (de toute évidence, le public était principalement masculin).

« Banerjee, dis-je, nous n'aurons que deux heures en tout. Pensez-vous vraiment que cela sera suffisant ? Au bout du compte, nous sommes supposés jaillir de nulle part pour souhaiter un bon anniversaire à Atherton... Vous vous rappelez ? C'est le prétexte que nous avons donné. S'il s'agit de se montrer, au final, nous aurions tout aussi bien pu aborder Atherton directement.

– Je comprends vos interrogations. Mais n'ayez crainte. »

Nous n'échangeâmes plus guère jusqu'à la fin de la pièce, que je tâchai mollement de suivre. Je me décidai alors à entrouvrir le rideau de la fenêtre, accroupi, pour regarder dans la rue. Victoire ! Il était bien là, auréolé d'une lumière blafarde. Horatio Atherton attendait son heure, le bouquet du matin très maladroitement dissimulé derrière son dos. Sans doute s'était-il éclipsé avant la fin de la pièce, ou peut-être au moment des saluts. Quelque chose me faisait dire, en revanche, qu'il n'avait pas dû y avoir de bis. Je retournai à ma place : la réussite de notre sortie reposait désormais entre les mains de Cassandra Neville.

Les minutes restantes furent très angoissantes. Atherton allait-il bel et bien accepter l'invitation de Ms. Neville à passer un moment en sa compagnie ? Il y eut du bruit dans le couloir. Les acteurs regagnaient leur loge – du moins, ceux qui en avaient une. « Courage, Atherton ! Il ne faut pas avoir peur de la dame. Elle ne va pas te manger », fis-je entre mes dents.

Finalement, des pas se firent entendre derrière notre porte. Puis une voix, unique ; celle, inimitable, de Cassandra Neville. Elle semblait empêtrée dans un monologue qui n'avait rien de théâtral.

« C'est ici, l'entendis-je dire d'une voix lasse. Il ne faut pas m'en vouloir, tout est un peu en désordre. »

Personne ne lui répondit.

On craqua une allumette et quelques instants plus tard, la flamme orangée d'une lampe à huile vint baigner la pièce. Allais-je respirer trop fort ? Banerjee, lui, avait fermé les yeux comme s'il dormait ; mais je le connaissais assez pour savoir qu'il n'en était rien.

« Asseyez-vous, je vais passer quelque chose d'un peu plus chaud », expliqua Ms. Neville sur le ton d'une oraison funèbre. Elle se faufila derrière le paravent, nous vit, leva les yeux au ciel, et s'empara d'un gilet brodé sur la manche duquel Banerjee avait élu domicile.

« Je vous sers quelque chose ? demanda l'actrice. Rien, vous êtes bien certain ? Moi, je vais prendre un brandy. S'il en reste.

Mmm, non, mais il y a du whisky. Ah ! j'étais sûre que vous changeriez d'avis. Comme ça, ça vous va ? »

Elle marqua une pause, puis reprit :

– J'ai euh... beaucoup apprécié votre poème, la dernière fois. Celui qui comparait mes yeux à ceux d'un... hippocampe, c'est bien ça ? Oui, c'est ça. Ah non ! c'était mes cheveux, mais peu importe. Merci encore. »

Je fis un effort de contorsion pour glisser discrètement mon nez entre deux pans du paravent. La fente n'était pas bien large – heureusement, d'ailleurs – mais elle me permettait de suivre à peu près la scène. Atherton était prostré au fond d'un fauteuil, un sourire béat sur les lèvres. Il devait être en train de vivre un véritable rêve.

« Vous ne voulez pas vous mettre un peu plus à l'aise ? Votre manteau... Je vais l'accrocher derrière. »

Sans émettre le moindre son, Atherton se laissa dépouiller de sa pelisse. Cassandra alla l'accrocher au portemanteau qui se situait de notre côté du paravent. Nous y étions presque !

Je profitai de ce que Cassandra s'était remise à parler pour ramper jusqu'au manteau d'Atherton. Je glissai la main dans une première poche, mais celle-ci était vide. Je n'obtins pas un meilleur résultat avec la suivante. Il restait encore la poche intérieure, mais je n'y trouvai pas l'ombre d'une clé, encore moins d'un trousseau. Je jetai un regard paniqué à Banerjee, qui me fit signe de ne pas perdre mon sang-froid. Était-il bien venu avec le fameux trousseau ? Le contraire m'aurait étonné, mais comment en avoir le cœur net ?

« Vous ne voulez vraiment pas parler ? s'impatienta Cassandra. Détendez-vous un peu ! Et lâchez votre sacoche, enfin ! »

La sacoche ! C'était forcément elle qui abritait le trousseau. Je scrutai la scène : Atherton se cramponnait à son bien comme s'il craignait qu'on ne le lui arrache. J'essayai d'en rendre compte à Banerjee par une gestuelle approximative, mais cela ne changeait rien : il fallait que Cassandra nous vienne en aide. Je soulevai légèrement la fenêtre, puis la refermai suffisamment fort pour que le claquement se fasse entendre dans toute la pièce.

L'actrice s'empressa de dire :

« Ah ! fichue fenêtre. Elle n'arrête pas de glisser. J'avais mis une cale, mais elle a dû tomber. Je vais voir. »

Cassandra Neville était sans doute une piètre actrice classique, mais elle tenait ce soir le rôle de sa vie ; pour le moment, sa conduite était irréprochable. Elle passa derrière le paravent, et eut un geste d'incompréhension. À l'aide d'une pantomime, j'essayai de lui faire comprendre que nous voulions qu'elle récupère la sacoche.

À ce moment précis, tout s'éclaircit pour elle ; je le vis à ses yeux, à l'imperceptible pas qu'elle fit en arrière. Ce n'était sans doute pas une lumière, mais elle n'était pas stupide non plus. Nous n'étions pas là pour un anniversaire ; nous n'étions pas non plus des amis d'Horatio Atherton ; nous lui avions menti et fait d'elle notre complice. Tout pouvait basculer en un instant, cela ne dépendait plus que d'elle et de la confiance que nous lui inspirions. Elle promena son regard entre Banerjee et moi, puis jeta un œil sur le côté, dans la direction d'Atherton. Maintenant qu'elle savait, je ne lui en aurais pas voulu de nous jeter aux lions.

C'est alors que Banerjee l'attrapa par la main, avec une grande douceur. Il l'attira de sorte qu'elle s'agenouille devant lui, et de son autre main, il forma un geste d'apaisement. Après quoi, il tourna la main de Cassandra, paume vers le haut, et au creux de celle-ci, de son autre index, il fit mine d'écrire un mot.

Ce mot était HELP.

Cassandra ouvrit la bouche, mais ne prononça pas un mot. Alors, elle hocha la tête et ferma les yeux, comme si elle acquiesçait. Elle se releva, et repartit d'un pas décidé auprès de son hôte.

« Horatio... Votre sacoche ne va pas s'envoler, s'empressa-t-elle de dire. Vous pouvez me la confier. »

Une molle protestation lui fit écho.

« Vous serez plus à l'aise, voyons. »

Cette fois, Horatio Atherton jugea qu'il était temps d'émettre la première parole articulée de la soirée :

« J'y tiens beaucoup.

– Oh ! mais vous parlez, donc ? À la bonne heure ! Bon, assez fait votre grincheux. Je vais la poser avec votre pardessus, elle n'ira pas loin, votre précieuse sacoche ! »

Atherton se laissa débarrasser, et Cassandra revint de notre côté du paravent. Pourquoi nous aidait-elle de cette manière ? J'étais pressé de demander une explication à Banerjee. Toujours est-il qu'elle posa la sacoche de cuir à nos pieds et retourna à son taciturne visiteur. Fébrilement, je me mis à fouiller ; je ne mis pas bien longtemps à trouver ce que je cherchais. Le trousseau était bien là, tel que dans mon souvenir, avec la clé des archives à la forme si étrange. Je fis signe à Banerjee, qui eut l'air satisfait (même si cet état, pour le non-initié, ressemblait beaucoup à celui qu'il affichait à longueur de journée). Je m'apprêtais à refermer la sacoche lorsque tout à coup, quelque chose attira mon attention au fond de l'un des soufflets. Je posai le trousseau près de moi avec délicatesse, afin de ne pas faire tinter les clés, puis je plongeai la main au fond de la sacoche. Mes yeux ne m'avaient pas trompé : je tenais entre mes doigts un scalpel, dont le tranchant me parut monstrueusement acéré. Que pouvait donc bien faire Atherton avec une chose pareille dans sa sacoche ? Mais je n'eus pas le temps d'y penser davantage : déjà, Banerjee ouvrait plus grand la fenêtre.

« Miss Neville ? Quelqu'un d'autre est ici ? demanda Atherton.

– Bien sûr que non, très cher. Juste vous et moi. Et vous ne m'avez encore rien dit sur vous !

– Je vous assure que j'ai entendu quelque chose. Derrière votre paravent. »

Je frémis ; nous étions de taille à réduire Atherton au silence, mais si nous avions fait tout cela, c'était pour n'éveiller ni ses soupçons ni ceux de son employeur. Ms. Neville usa d'un ton plus ferme :

« Horatio, je vous certifie que tout ceci est ridicule. Qui voudriez-vous que ce soit ? »

Banerjee se pencha vers moi, et attrapa mon visage entre ses deux mains. Son regard était si intense que j'eus l'impression que l'on m'enfonçait un pic brûlant dans chaque œil. Alors, il murmura :

« Attrapez la corde. »

À ces mots, il enjamba le rebord de la fenêtre et disparut. J'entendis un bruit très étouffé, et ce fut tout.

« On murmure ! protesta Atherton. N'entendez-vous donc rien ?

– Évidemment : ma loge donne sur l'entrée des artistes. Vous entendez le bruit de la rue, voilà tout. »

Je distinguais un froissement d'étoffe, puis des pas. Atherton avait dû se lever, et il allait probablement se diriger vers le paravent. Je me penchai à la fenêtre, aux abois. Banerjee se trouvait bien en bas, sur ses deux jambes, raide comme un piquet sous le petit balcon. Quelque chose se trouvait à ses pieds ; une sorte de tas informe, que je pris tout d'abord pour un animal endormi. Derrière moi, Cassandra tentait le tout pour le tout :

« Allons, Horatio, ne gâchez pas cette soirée. D'abord, vous n'avez rien dit. Et voilà que vous vous mettez à trop parler ! Si vous saviez depuis combien de temps je rêvais de vous connaître un peu mieux ! »

Je vis Banerjee tirer un instrument oblong de sa poche, qu'il porta à ses lèvres. Ses doigts se mirent à bouger frénétiquement, et une musique aux accents orientaux s'éleva jusqu'à moi. À ma grande stupeur, le tas au pied de Banerjee commença à frémir ; alors je vis l'extrémité d'une corde se dresser comme un serpent, et filer à la verticale vers la fenêtre. Quand elle fut à ma hauteur, parfaitement raide, je me rappelai les propos sibyllins de Banerjee. Ceci n'avait, une fois de plus, absolument aucun sens ; mais je commençai à y être habitué. Éberlué, halluciné, dépassé, je tendis la main vers la corde, m'y accrochai fermement, et m'en servis comme d'une rampe pour atteindre le niveau de la rue. Alors que je touchai le sol, il me sembla perdre conscience l'espace de quelques courts instants. Quand je revins à moi, il n'y avait plus ni corde ni flûte : seulement Banerjee qui me tirait par le bras. Je lui emboîtai le pas, totalement sidéré, et constatai que ma cheville droite me lançait.

« Banerjee, fis-je, quand nous fûmes à bonne distance, que s'est-il passé ?

– C'est à vous de me le raconter.

– Ne faites pas le malin : la flûte, la corde ? Comment avez-vous fait ? Vous êtes aussi fakir, c'est ça ? »

Il eut un sourire amusé.

« Tout ce que j'ai fait, Christopher, c'est placer dans votre esprit l'idée qu'il y avait une corde à attraper. Sinon, vous n'auriez jamais sauté par la fenêtre, et il n'y avait tout de même pas de quoi être effrayé.

– Attendez... Vous êtes en train de me dire que je vous ai rêvé en train de... de... charmer cette corde comme un serpent ? Que vous m'avez hypnotisé à mon tour ? »

Nous étions désormais revenus sur une artère passante ; de là, nous pouvions héler un cocher. Aux premiers bruits de sabots, Banerjee agita la main. Il me dit alors :

« Je pense que vous avez une vision de l'Inde assez... pittoresque. Je vous ai parlé de corde, vous avez imaginé que je pouvais accomplir ce genre d'exploit. Je n'ai fait que vous offrir un sujet, vous avez inventé l'histoire. »

Une voiture s'arrêta à notre hauteur. Je grimaçai en montant sur le marchepied, et le cocher crut bon de faire une plaisanterie.

« Et ma cheville ? demandai-je à Banerjee quand nous fûmes à l'intérieur. Pourquoi me fait-elle aussi mal ?

– Parce que vous vous êtes mal reçu. Je vous rappelle qu'il n'y avait pas de corde, en réalité. »

Puis, il cria au cocher :

« Direction Aldgate, s'il vous plaît ! »

Je demeurai pensif un instant, et sentis une vague de colère monter en moi. N'y tenant plus, je déclarai :

« Banerjee, je n'apprécie pas trop que vous jouiez avec mon esprit de la sorte ! Vous m'avez hypnotisé sans mon consentement ! Pour Ms. Neville, je peux comprendre, mais moi... comment suis-je supposé le prendre ?

– Christopher, vous avez tort de vous offusquer. Si je vous avais prévenu, cela n'aurait pas fonctionné. Votre subconscient aurait fait barrage. »

Je grognai :

« Admettons, mais... Si vous savez aussi bien manipuler les gens, pourquoi ne pas hypnotiser tous nos suspects pour les forcer à dire la vérité ? Cela nous ferait gagner du temps !

– Cela n'est pas aussi simple, je viens de vous le dire. Je n'ai pas pu empêcher le suicide de Brown, rappelez-vous. On ne peut aller contre la volonté profonde de quelqu'un. Mais vous... vous aviez *envie* de descendre par cette fenêtre. Je n'ai fait que vous amener à imaginer des circonstances qui vous semblaient plus favorables. Oh ! et autre chose : je n'ai pas hypnotisé Ms. Neville. »

Je sursautai :

«Pardon ?

– L'hypnose, comme vous l'appelez – le terme est en réalité impropre, mais peu importe – est une technique. N'importe qui peut l'apprendre. La sincérité, elle, est un don, qu'il faut cultiver. Certaines personnes y sont sensibles, d'autres pas. Ms. Neville est une âme pure, que la vie n'a sans doute pas gâtée. Mais c'est une bonne personne. Et ma sincérité l'a touchée. Voilà pourquoi elle a choisi de nous aider, finalement. »

Je ricanai :

«Dommage qu'elle n'ait été touchée par votre euh... "grâce" quand nous sommes allés la voir hier. »

Banerjee eut l'air peiné :

«Vous persistez à envisager les choses isolément, Christopher. Vous ne pouvez pas faire fleurir une rose en posant une graine sur un caillou. Et à plus forte raison s'il gèle. Il faudra un terrain fertile à cette graine pour qu'elle devienne une fleur, un temps clément. Il en va de même avec tout. Ce soir, Ms. Neville pouvait nous comprendre. Hier, cela n'aurait peut-être pas été le cas.

– Je ne sais même pas pourquoi je vous pose des questions, Banerjee, répliquai-je avec lassitude. En attendant, il y a quand même quelque chose que je dois vous dire.

– Je vous écoute ?

– J'ai très peur que la vie de Ms. Neville soit en danger. Nous allons devoir faire très vite. En espérant que nous ne reviendrons pas trop tard au théâtre. »

X

Douce musique

Compte tenu de l'heure tardive, il ne nous fallut pas bien longtemps pour rejoindre le siège de Kreuger Steel. Évidemment, même à cette heure, l'entrée principale était gardée ; mais à cela, je connaissais déjà une parade. En effet, à l'arrière du bâtiment principal survivait un vieil entrepôt promis à la démolition, et a priori sans communication avec Kreuger Steel. C'était là une erreur : en réalité, les deux bâtiments n'en avaient formé qu'un à une époque, et se rejoignaient via des caves communes. Un fouineur compulsif de mon espèce n'avait pas eu grand mal à découvrir cette petite anomalie ; et comme souvent dans ces cas-là, l'énormité de la chose la rendait plus discrète encore. J'anticipai davantage nos déplacements une fois à l'intérieur : j'avais informé Banerjee qu'un gardien arpentait le rez-de-chaussée toute la nuit en compagnie d'un molosse. Banerjee m'avait remercié pour l'information, sans avoir l'air de s'en soucier davantage.

Comme prévu, ce ne fut qu'une formalité de pénétrer dans l'antre du puissant Ruben Kreuger ; la porte du fameux entrepôt n'était que très grossièrement cadenassée, et je n'en fis qu'une bouchée. Se repérer dans les caves n'allait pas sans peine, surtout dans les premiers mètres qui ne comportaient aucun éclairage. Mais cette fois, je m'en remis au bon sens de Banerjee, qui nous sortit de ce petit labyrinthe comme s'il y avait passé sa vie. À part des rats, nous ne croisâmes pas âme qui vive. L'un de ces rongeurs gisait, mort, au milieu d'une flaque. Sans rien expliquer de ce qu'il pouvait bien manigancer, Banerjee s'agenouilla, sortit un mouchoir de sa poche, et y déposa le rat. Il rangea le linceul et son occupant dans sa poche, et se remit à avancer.

« Je ne vais rien vous demander, dis-je. Mais je vous avoue que ça me démange tout de même un peu.

– ... », se contenta-t-il de répondre.

Une fois sortis des caves, la partie délicate commençait : nous étions désormais en terre ennemie. Le lieu était suffisamment éclairé, même à cette heure, pour que nous puissions trouver notre chemin. Mais le gardien et son fauve domestique rôdaient, aussi convenait-il de redoubler de prudence. Nous attendîmes donc de les voir passer une première fois, recroquevillés sous un bureau, en priant pour que le molosse ne nous renifle pas. Alors, Banerjee sortit le rat de sa poche et le projeta loin de nous. On entendit le chien grogner, et son maître lui lâcha la bride. Quand l'animal revint près du garde, son trophée entre les crocs, on entendit :

« Pffff... Je t'ai mal élevé, toi. Je t'ai mal élevé... »

Je jetai un regard admiratif à Banerjee pour son à-propos, mais il était trop modeste pour se laisser aller à la moindre expression de fierté. Homme et chien s'éloignèrent ; nous avions un peu de temps devant nous.

La fameuse salle des archives se trouvait au troisième étage ; mais alors que nous gagnions le deuxième, Banerjee me fit signe de ne pas faire de bruit. Je me plaquai contre le mur de l'escalier, aux aguets.

« Vous avez entendu quelque chose ? fis-je à voix basse.

– Quelqu'un d'autre est là, répliqua Banerjee.

– Un autre garde ?

– Je ne pense pas. »

Je baissai encore un peu plus la voix.

« Vous entendez encore ?

– Je n'ai jamais dit que j'avais *entendu* quoi que ce soit.

– Ah oui ! Un autre de vos "pouvoirs", hein ?

– Ah ! Christopher... Remettons-nous en route. »

J'obéis sans poser de questions.

Tous ces immenses bureaux vides avaient une allure absolument sinistre à cette heure de la nuit. Une pierre qui a chauffé au soleil toute la journée relâche doucement sa chaleur une fois le soir venu ; j'avais l'impression qu'il en allait de même ici avec les sons. L'agitation de la journée était mystérieusement palpable, tangible, et donnait l'illusion que nous étions entourés de fantômes chuchotants. J'étais, je l'avoue, assez pressé de lever le camp – d'autant que je m'inquiétais sincèrement pour Cassandra Neville.

Nous arrivâmes enfin au troisième étage, devant cette double porte arrogante, qui, j'en étais certain, abritait la solution à bien des énigmes. Je sortis le trousseau de ma poche, pris une grande bouffée d'air, et attendis le signal de Banerjee. Il me fit signe d'y aller, et réfrénant un tremblement de mes mains, je fis jouer les trois clés l'une après l'autre. Sans un bruit, pas même un grincement, le battant de droite pivota sur ses gonds. Une lumière froide s'échappa dans le couloir – un éclairage électrique automatique, sans doute.

On se serait cru dans une église, et non pas dans un espace d'archivage. La pièce était coiffée d'une haute voûte, qui devait courir sur deux ou trois étages ; de part et d'autre d'une longue travée centrale, des rayonnages en bois fléchissaient sous le poids des dossiers et des reliures, et ce jusqu'en haut des murs. La sensation était vertigineuse. De chaque côté de la travée, une immense échelle à roulettes, munie d'un système de glissière pour la maintenir en place, permettait d'atteindre les volumes les plus en hauteur.

Et au fond, il y avait cette chose énorme, insensée, dont la nature m'échappait totalement. Était-ce un orgue ? C'est ce que je pensai tout d'abord, en découvrant un assemblage complexe de tuyaux en métal cuivré, mais aussi un grand pupitre muni de touches. En nous rapprochant, je vis que ce clavier ne ressemblait en rien à celui d'un piano ou d'un orgue, et comportait, comme celui d'une machine à écrire, des lettres et des nombres. L'ensemble mesurait trois bons mètres de haut, et devait peser plusieurs tonnes.

« Banerjee... Avez-vous la moindre idée de ce à quoi sert cet engin ? demandai-je.

– Pas la moindre, Christopher », fit-il avec lassitude.

Il s'approcha du pupitre et appuya sur la lettre A. Un son bref et grave s'échappa des tuyaux, qui me fit sursauter. Banerjee recommença avec le Z et le M. D'autres notes, plus aiguës et de même longueur, jaillirent de la machine. Il essaya le 1 et le 9, qui engendrèrent des notes plus brèves et plus graves.

« Si personne ne vient nous arrêter après ça, nous sommes vraiment chanceux, commentai-je. Oh ! qu'est-ce donc, à présent ? »

À l'intérieur de la machine, on entendit des cliquetis, des frottements, et toute la carcasse se mit à vibrer. Puis, à notre grande stupeur, une bande de carton s'échappa d'une fente, sur l'un des côtés de l'engin. Banerjee la prit en main ; elle comportait trois perforations de longueurs différentes, et pas la moindre trace d'écriture.

« J'aimerais bien commencer à récolter quelques réponses, fis-je, plutôt qu'accumuler les questions. »

Banerjee garda le silence, et s'approcha des rayonnages à gauche de la salle. Il se saisit d'un classeur au hasard, et l'ouvrit ; celui-ci était rempli de plans et de données techniques auxquelles nous ne comprenions rien, l'un comme l'autre. A priori, il s'agissait d'archives tout ce qu'il y avait d'ordinaire pour une société comme Kreuger Steel.

Au bout d'un moment, nous remarquâmes qu'à droite, un rayonnage se détachait des autres ; il se situait dans un renfoncement, et les volumes qui s'y alignaient différaient de tous les autres en taille et en épaisseur. Sur leur tranche étaient collées des étiquettes qui, de manière incompréhensible, comportaient des portées musicales encombrées de notes. Et à l'intérieur du premier classeur qui passa entre nos mains, comme des suivants, il y avait des bandes de carton semblables à celle qui venait d'être recrachée par la machine. Pas l'ombre d'une phrase ou même d'un mot. Tout cela était pour le moins intrigant. Et plutôt encourageant : là où il y a du mystère, il y a quelque chose que l'on veut dissimuler.

Je remarquai alors que dans un coin de la salle, pas loin de la machine, se trouvait un fourneau, dont j'avais entendu le crépitement un peu plus tôt sans en identifier la source.

« Vous y comprenez quelque chose ? demandai-je.

– Non, répondit Banerjee. Pas pour le moment.

– Moi non plus, mais une chose est certaine : nous touchons au but. Il semblerait que Kreuger se soit donné beaucoup de mal pour qu'on ne sache pas ce que ces dossiers abritent. Il est plus que probable que ces dossiers soient ceux que nous cherchons. Mais comment s'y retrouver ? Et comment décrypter leur contenu ? »

Je vis Banerjee ouvrir la bouche pour me répondre, mais il se raidit tout à coup, et porta la main à sa nuque.

« Ah non ! m'exclamai-je. Pas maintenant ? Vous n'allez pas vouloir rêver *maintenant* ?

– Nous n'avons qu'une prise limitée sur les événements. C'est le moment.

– Puis-je me permettre de vous rappeler que nous sommes rentrés ici par effraction, qu'il y a un de garde en bas, et qu'accessoirement, nous avons peut-être laissé Ms. Neville en fâcheuse posture ? »

Je jetai un coup d'œil derrière nous. La porte des archives était capitonnée, et depuis le rez-de-chaussée, nul ne pouvait nous entendre. Mais cela n'était qu'une bien maigre consolation. Banerjee se décida à me répondre :

« Vous avez parfaitement résumé la situation. Quelle conclusion en tirez-vous ?

– Que nous ne pouvons pas perdre de temps.

– En ce cas, pourquoi le faites-vous en parlant ? Préparons-nous pour le rituel.

– Vous savez que... Oh ! la barbe, comme vous voudrez. J'espère qu'ils ne nous enfermeront pas dans la même cellule, c'est tout. »

Banerjee s'allongea sur le sol, et je m'agenouillai près de lui, face à la machine. J'attrapai sa main, et entonnai le chant du rêve. Si ce n'est que cette fois, plus que jamais, je me sentais terriblement gêné – et bien sûr en proie à une grande anxiété.

A priori, s'il n'y avait pas de ronde dans les étages, nous étions tranquilles ; mais dans le cas contraire, il n'y avait aucune possibilité de fuite. Il n'était plus possible de faire demi-tour : je sentis Banerjee se laisser glisser dans le sommeil, alors que la chaleur fuyait son corps. Bientôt, ses lèvres s'agitèrent et je l'entendis me dire :

« J'y suis, Christopher. Quel dommage ! Je suis en peignoir.

– Vous y êtes... Mais où exactement ?

– Au Royal Albert Hall. Je crois qu'un concert va bientôt débuter. »

Je consultai ma montre :

« Ce serait formidable qu'il commence vite. »

J'attendis encore quelques secondes, mais nous étions entrés dans l'une de ces phases frustrantes où j'avais seulement l'impression de veiller un parent malade. Je regardai à nouveau ma montre par nervosité. C'est alors que je ressentis une violente douleur à l'arrière du crâne, qui me porta jusqu'au cœur. La salle entière devint floue, s'assombrit...

Puis, il n'y eut plus rien.

*

Je revins à moi petit à petit, et me frottai la nuque ; j'avais été frappé, et mon agresseur n'y était pas allé de main morte. La première chose que je vis, ce fut Banerjee, qui m'observait en se caressant le menton. Puis, je pris conscience de ce qui m'entourait ; nous nous trouvions dans un couloir à la lumière tamisée, dans lequel régnait une indéniable douceur. Les murs étaient tapissés de rouge, le sol recouvert d'une moquette épaisse. C'était une drôle de geôle, en réalité ; car dans mon esprit, nous ne pouvions pas être ailleurs, emprisonnés par un garde en attendant l'arrivée de la police.

« Où sommes-nous, Banerjee ? » demandai-je.

Il eut son air grave habituel, et me dit :

« J'ai la réponse à cette question. Mais je ne sais pas si vous êtes prêt à l'entendre.

– Oh ! je suis prêt à tout, vous savez, avec vous.

– Christopher... vous ne remarquez rien d'étrange ?

– Disons que vous fréquenter a beaucoup contribué à ce que je relativise ma conception de ce qui est "étrange" et "normal". Donc... Non, pas particulièrement. Si ce n'est que j'aimerais bien savoir ce que l'on fait ici. »

Banerjee me paraissait autant navré que désolé.

« Comment suis-je habillé, Christopher ?

– Eh bien... avec votre peignoir ? Ce n'est pas la première fois que je vous vois dans cette tenue. »

J'avais à peine prononcé ces mots que je sentis mon cœur se serrer.

« Ah non ! Banerjee... Non, ne me dites pas que...

– Alors je ne vous le dirai pas.

– Je ne suis quand même pas... *dans votre rêve* ?

– Je crains que si, Christopher.

– Bon, vous aviez raison, je n'étais pas prêt. »

Banerjee était en tenue de bain ; le couloir où nous nous trouvions, je m'en apercevais à présent, était en pente ; mais rien de cela ne m'avait semblé singulier, sur le coup. Les rêves s'affranchissent de la logique de l'éveil.

Je tâchai de réfléchir une minute.

« Un instant ! Qu'est-ce qui me prouve que je ne suis pas en train de rêver que je suis dans votre rêve ? Auquel cas, vous n'existez que dans ma tête.

– Est-ce que ce rêve ressemble aux vôtres ?

– Que voulez-vous dire ?

– Nos rêves ont une texture, une luminosité, une essence qui leur est propre. Une atmosphère, en quelque sorte. La ressentez-vous ici ? »

Je regardai autour de moi.

« Non, admis-je. Ça ne ressemble pas à l'un de mes rêves, c'est vrai. Tout a l'air plus... net, ici. Mais je suis peut-être en train de rêver ça aussi, non ?

– Christopher... Vous savez très bien que ce que je dis est vrai. »

Il avait raison. Moi qui avais toujours voulu savoir ce qu'il y avait dans sa tête, j'y étais maintenant coincé. Je demandai :

« Comment est-ce arrivé ?

– Lors du rituel, il se crée un lien psychique très fort entre nous. C'est notamment pour cela qu'il serait très dangereux pour vous de vous endormir pendant que je rêve. Mais... vous connaissant, ce n'est pas ce qui s'est passé, n'est-ce pas ?

– Non. Je crois que l'on m'a un peu aidé à m'endormir. Quelqu'un m'a frappé à la base du cou. Je n'ai rien vu venir. »

Banerjee m'apparut pensif. Je remarquai tout à coup qu'il ne portait plus de peignoir, mais son costume habituel. Une sonnerie retentit, mais le son me semblait étouffé et déformé, comme si une cloche sonnait à l'intérieur d'une bouteille.

« Le concert va commencer, Christopher. Il nous faut prendre place. Mais avant, je dois vous avertir de quelque chose.

– Quoi donc ?

– Le temps du rêve diffère de celui de l'éveil. Il peut lui ressembler, mais aussi se dilater ou se compresser. Pour dire les choses plus directement, car je sais que vous les aimez ainsi... Nous n'avons aucun moyen de savoir combien de minutes se sont écoulées depuis le début de mon rêve. »

Je frémis.

« Si jamais nous dépassons les vingt-six minutes...

– Je risque d'être coincé à tout jamais dans mon rêve. Comme vous le savez. Mais il pourrait vous arriver la même chose.

– Sauf votre respect, je ne crois pas que cette perspective m'enchante particulièrement.

– Je m'en doute, et n'en prends pas ombrage. Mais le spectacle va commencer. Nous devrions prendre place. »

L'instant suivant, nous étions assis dans une grande salle de concert, au beau milieu de la rangée centrale. Nous n'étions pas seuls, je le sentais, mais je ne pouvais distinguer personne. Le rideau était baissé, et un individu au costume multicolore apparut dans un coin de la scène, une manivelle à la main. Il l'enfonça dans un système de crémaillères, et se mit à tourner. Le rideau montait, mais sans révéler quoi que ce soit : c'était comme si sa partie inférieure, infiniment longue, était en fait plongée dans un abîme. Il y avait quelque chose d'atrocement frustrant à cela.

Alors, on entendit les premières notes jouées. L'orchestre était bien là, mais toujours dissimulé à nos yeux. Quel pouvait bien être ce morceau ? Je le connaissais, mais ne pouvais mettre un nom dessus. Le machiniste aux allures de perroquet ne semblait nullement contrarié, et poursuivait sa tâche avec le sourire.

Tout à coup, quelqu'un se leva dans la salle ; j'avais regardé à cet endroit peu avant, mais je n'y avais vu personne. Comment m'avait-il été possible de ne pas remarquer cet individu en costume de soirée, qui portait, en guise de haut-de-forme, un casque militaire prussien ? L'homme se mit à applaudir à tout rompre, bientôt imité par un autre spectateur. Or, ce dernier avait la particularité d'être un ours. Oui, un ours ; gigantesque et goguenard, il frappait ses pattes avant de bon cœur, tout en nous jetant des regards en coin menaçants. Cette vision aurait dû me terrifier, mais dans le contexte du songe, elle ne me parut ni vraiment effrayante ni même totalement étrange.

Avant même que je m'en aperçoive, un changement radical intervint au sein du décor. Nous n'étions plus dans la salle de concert, mais dans les bureaux que nous venions de traverser pour atteindre la salle des archives. Seulement, cette fois, les employés occupaient bel et bien leur poste. Ceux qui maniaient d'ordinaire la plume tenaient une baguette de chef d'orchestre ; les quelques secrétaires équipés d'une machine à écrire frappaient les touches avec entrain, mais le cliquetis mécanique avait cédé la place à un festival de notes de piano dissonantes. La cacophonie était totale. De temps à autre, un employé quittait son poste et prenait feu au bout de quelques mètres, à ma grande horreur, sans que quiconque n'y trouve quoi que ce soit à redire. Il ne restait plus de ces malheureux qu'un tas de cendres.

Banerjee se déplaça entre les bureaux comme s'il flottait, pour atteindre un couloir ; celui-ci m'apparut démesurément long, presque une route. Je me mis en devoir de rejoindre Banerjee, mais chacun de mes pas me pesait. Quand je fus à nouveau près de lui, nous étions dans notre bureau de Portobello Read, et Banerjee affichait une mine fort soucieuse.

« Vous m'avez l'air inquiet, lui dis-je.

– Je le suis, oui. Je ne voudrais pas que vous restiez trop longtemps prisonnier de cet espace.

– J'entends bien, mais que faire ?

– Il faut absolument que vous vous réveilliez. Mais cela ne sera pas possible pour le moment.

– Ah ?

– Vous êtes encore dans mon rêve. Vous en êtes spectateur. La première chose à faire, c'est d'inverser les rôles. Vous devez reprendre le contrôle.

– Je veux bien faire tout ce que vous voulez, mais comment ? »

Banerjee se leva et se mit à faire les cent pas. Je remarquai alors que les murs étaient tapissés d'horloges rondes, chacune réglée à une heure différente.

« Christopher, je vais essayer de vous guider, mais ce ne sera pas simple. Nous sommes dans le monde de la pensée, dans son expression même. Notre pensée n'est plus cette voix intérieure que nous entendons durant l'éveil : ici, elle constitue tout ce qui nous entoure, et peut modifier notre environnement en une fraction de seconde. Vous pouvez éprouver de la peur, de la tristesse, de la joie ; mais si vous essayez de *penser*, vous allez agir sur tout ce qui est ici. »

Je peux difficilement décrire ce que j'éprouvais alors. Pour la première fois depuis le début du rêve, je réalisai que ce corps que je voyais, ressentais, n'existait pas.

La pièce s'assombrit, et Banerjee ne fut plus qu'une ombre dans un angle.

Sa voix, devenue sépulcrale, retentit comme si elle venait de l'extérieur.

« Votre volonté va s'opposer à la mienne ; car je suis toujours maître de ce rêve. Je ne peux lâcher prise longtemps, sinon, je ne me réveillerai plus jamais, et vous non plus. Mais je peux vous aider. Où aimeriez-vous être en cet instant ? »

Là encore, la question ne provoqua rien en moi, parce qu'il n'y avait plus d'« en moi », en quelque sorte. Mais je m'approchai de la fenêtre et constatai qu'un paysage bucolique avait remplacé la rue. Un lac, une rive verdoyante...

« Je reconnais cet endroit, dis-je. J'y ai passé mes premières années.

– Désirez-vous y aller ? »

Nous y étions déjà. Le bureau n'existait plus, et je sentais une brise caresser mon visage. Le paysage était bien celui que j'avais vu de la fenêtre, mais j'avais l'impression de le contempler à travers un léger voile.

« La maison de mon enfance devrait aussi être là, fis-je. Mais je ne la vois pas.

– C'est normal, me dit Banerjee que je découvris allongé au pied d'un arbre. Je ne sais pas à quoi ressemble cette maison, et ce rêve est toujours le mien. Toutefois, vous avez réussi à faire apparaître ce paysage. C'est un début, mais regardez comme il change : bientôt, je risque de le remplacer par mes propres images. »

Il avait raison : je savais que ce décor m'était familier, mais en réalité, il s'était déjà modifié depuis notre arrivée. Seule subsistait la *sensation* de le connaître, et c'était là la seule chose importante.

« Je ne sais pas quoi faire à présent, admis-je.

– Je vais tâcher de vous laisser la main un court instant. Mais méfiance : j'ignore combien de temps cela représentera dans le monde de l'éveil.

– Mais que dois-je faire ?

– Je ne peux rien vous dire. Ce sera à vous de voir, comprendre et improviser.

– Bien. Vous me direz quand...

– Ça y est. Dépêchez-vous. »

Je ne vis pas grand changement. Le décor était toujours identique, terne, avec un aspect de plus en plus lugubre. Et puis, tout à coup, la silhouette lointainement familière d'une belle villa à l'abandon se découpa à l'horizon. Je sentais que cette image était instable, comme si elle n'était qu'une projection de lanterne magique. Je me mis à courir vers la villa, mais j'avais beau avancer, il me semblait que la distance demeurait la même. Et pourtant, je ne faisais pas du surplace : je le voyais bien en regardant de côté ; mais la maison reculait à la même vitesse que moi, je courais. Je fis une pause pour reprendre mon souffle. À ce moment-là, deux bras puissants m'arrachèrent du sol et je me sentis comme voler. L'individu mystérieux me reposa devant le seuil et tourna les talons avant que je puisse l'identifier. La porte s'ouvrit tout à coup : c'était Banerjee.

« Dépêchez-vous, Christopher ! Entrez avant qu'il ne soit trop tard ! Mais je vous félicite : cet édifice est votre œuvre, et vous maîtrisez en partie cet aspect du rêve. »

Je le suivis à l'intérieur et demandai :

« À présent ? Que faire ?

– Il vous faut trouver un moyen de vous provoquer une émotion très forte, qui pourrait vous réveiller. Je vous ai proposé d'évoquer votre lieu favori pour mettre en place un terrain propice. »

Je ne répondis rien, et les murs se mirent à trembler.

« Attention ! s'exclama Banerjee. Vous essayez encore de penser, mais n'oubliez pas que vous êtes à l'intérieur de votre propre pensée. Vous pouvez tout anéantir en un instant. Laissez-vous guider par les sensations, pas par la réflexion. »

Je comprenais ce que Banerjee me disait, sans pour autant réaliser de manière concrète ce que cela impliquait. Le décor se stabilisa un peu, et une vague de calme m'envahit. Alors, je pris l'escalier qui venait d'apparaître et montait à l'étage. Dans le couloir qui s'offrait à moi, en haut des marches, une dizaine de portes me narguaient. C'était bien davantage que la maison de mon enfance n'en avait jamais compté. Au calme succéda la peur. Je fis un pas prudent, puis un deuxième, persuadé qu'à tout moment, l'une des portes pouvait s'ouvrir pour qu'une créature de cauchemar en jaillisse, se jette sur moi et me mette en pièces.

Je repris confiance en moi, et tendis l'oreille ; derrière l'une des portes, on entendait des murmures, peut-être même des pleurs.

Je tournai la poignée. Là, dans une lumière tremblante, il y avait un grand lit aux draps blancs défaits ; et à la fenêtre, une femme aux longs cheveux roux, le teint pâle, qui se tourna vers moi en souriant.

« Toph ! s'écria-t-elle. Je suis revenue pour toi.

– Mais je ne peux pas rester, dis-je, en proie à une tristesse aussi soudaine qu'intense. »

La femme baissa la tête :

« Quel dommage ! Tu m'as manqué. Tellement manqué. Mais si tu ne peux pas rester, sors par l'autre porte, alors. »

J'étais persuadé qu'il n'y avait pas d'autre porte dans cette pièce. Et pourtant : près du lit, je remarquai une petite trappe béante, à peine assez haute pour qu'on y rampe. Je me mis à quatre pattes et m'en approchai en avançant sur les mains et les genoux. Au-delà de l'ouverture régnait l'obscurité la plus totale. Je sentis mes membres s'engourdir, et une vive torpeur s'emparer de moi. Je savais que je devais avancer, mais tout me poussait à rester là, dans la tiédeur de ces ténèbres.

Alors que toute volonté m'abandonnait, un éclat de lumière vint déchirer cette quiétude. J'eus l'impression de chuter, dans un premier temps, puis de repartir vers le haut en proie à une violente accélération.

L'instant suivant, j'étais étendu sur le parquet de la salle des archives, et ma douleur à la nuque se réveilla. Mais réveillé, l'étais-je moi-même ?

XI

A cappella

« Monsieur Carandini ? Vous allez bien ? »

Je levai la tête. Tout près de moi, il y avait une jeune femme qui semblait avoir pris beaucoup de soin à s'habiller et se coiffer comme un homme, mais dont les jolis traits et les manières ne laissaient aucun doute. Son visage ne m'était pas inconnu, et après un court moment, je m'exclamai :

« Vous ! Vous travaillez pour lord Scriven ! Vous êtes Emily, n'est-ce pas ? »

Elle rougit et répondit :

« Oui... et non. Mon vrai nom n'est pas Emily, mais vous m'avez vue chez lord Scriven, en effet. Quoiqu'il en soit, cela ne vous regarde pas, et je ne compte pas rester ici toute la nuit. »

Je me frottai la tête en grimaçant :

« C'est à vous que je dois ce petit cadeau, j'imagine ?

– Je le confesse. Mais c'est aussi à moi que vous devez d'être réveillé. Vous étiez agité de spasmes, il y a encore une minute. J'ai pensé que vous aviez une syncope, alors j'ai pris peur, et j'ai tout fait pour vous réveiller. Vous appeliez... »

Je lui coupai la parole :

« Je ne veux rien savoir, si cela ne vous dérange pas.

– Quant à votre ami... »

Ces mots eurent sur moi le même effet qu'un cor de chasse dont on aurait sonné à même mon oreille. Banerjee ! Comment avais-je pu l'oublier ? Il était un peu plus loin, près du fourneau.

« Il était glacé, précisa la jeune femme. J'ai cru bien faire en le traînant près du feu. »

Je regardai ma montre et crus que mon cœur allait s'arrêter : les vingt-six minutes étaient sur le point de s'achever. Elles le seraient *avant* la fin du rituel, quoi que je fasse.

« Vous avez une curieuse manière de pratiquer le cambriolage, dit-elle. Je vous ai suivis jusqu'ici, et je ne m'imaginais pas vous trouver dans cette posture, main dans la main. »

Mais je ne faisais déjà plus attention à elle ; d'un bond, j'avais rejoint Banerjee, et saisi sa main afin d'accomplir le rituel. Du coin de l'œil, je vis « Emily » parcourir les rayonnages en pestant ; il fallait croire qu'elle cherchait la même chose que nous et qu'elle n'était pas davantage avancée. Mais je ne pouvais guère y songer : le temps pressait plus que jamais, et je me mis à chanter, tremblant.

« Vous chantez ? Est-ce une plaisanterie ? s'exclama la jeune femme. Il y a un garde, en bas, l'ignorez-vous ? »

Je ne tins aucun compte de sa question et poursuivis.

Les vingt-six minutes s'étaient écoulées, et comme je le redoutais, le rituel n'était pas terminé. Banerjee était toujours plongé dans sa transe, immobile et froid. En panique, je dis :

« Qui que vous soyez, mademoiselle, vous devez m'aider.

– À quoi ?

– À sortir d'ici. Le plus vite possible. Mon ami ne se réveille pas. »

Elle fronça les sourcils :

« Je ne partirai pas avant d'avoir trouvé ce que je cherche. Si je n'avais pas cru que vous alliez mourir dans votre sommeil, l'un et l'autre, nous n'aurions pas cette conversation.

– Vous seriez repartie en nous laissant ici ?

– Je me moque de ce qui peut vous arriver. Mais je n'aurais pas voulu avoir votre mort sur la conscience.

– Donc, vous ne vous en moquez pas complètement. Et puis...

– Oui ?

– Je vois bien que vous n'avez pas compris ce qui se passe ici. Vous ne trouverez jamais ce que vous cherchez. La personne qui a la solution est là, à vos pieds. Vous avez besoin de nous. »

Elle hésita, puis déclara :

« Si je vous aide... nous n'aurons pas ce pour quoi nous sommes venus. Et Kreuger ne se laissera jamais cambrioler une deuxième fois. Il saura qu'il s'est passé quelque chose.

– J'en ai conscience, mais je fais passer la vie de mon employeur avant cela. »

Elle baissa la tête et dit :

« Je suis désolée. J'ai mes raisons, comme vous avez les vôtres. »

Je devais réfléchir à toute vitesse ; j'ignorais comment réanimer Banerjee, et « Emily » n'avait peut-être pas tort : il était fâcheux de saborder ainsi notre mission. Tout à coup, je demandai :

« Dites-moi... Vous avez une jolie voix ?

– Vous avez perdu la tête ? Et puis, ma voix, je crois que vous l'entendez depuis quelques minutes.

– Ce n'était pas le sens de ma question. Savez-vous chanter ?

– Monsieur Carandini, je ne pense pas que le moment soit bien venu pour... »

Je ne la laissai pas finir. Avant qu'elle ait eu le temps de réagir, je lui attrapai la main et la forçai à s'assoir près de Banerjee. Elle tâcha de se dégager, mais j'avais une bonne poigne et ne relâchai pas ma prise.

« Je vais hurler ! promit-elle.

– Faites donc, et nous finirons tous les deux en prison. Il y a peut-être un moyen de nous en tirer. Vous comme nous. »

Elle tordit la bouche et après une courte hésitation, elle dit :

« Je vous écoute, mais lâchez-moi. »

Je m'exécutai, méfiant, mais elle ne tenta rien. Convaincu de sa bonne foi, je m'expliquai :

« Mon patron est dans une sorte de transe dont, d'ordinaire, je suis seul à pouvoir le sortir. Mais aujourd'hui, c'est plus compliqué. Vous pouvez peut-être m'aider. Si une volonté, la mienne, ne suffit pas, deux y parviendront peut-être.

– J'ignore si je vous suis, mais...

– N'essayez pas de comprendre. Prenez sa main gauche, je prends sa main droite. Et vous allez répéter après moi ce que je chante.

– C'est complètement grotesque, grogna-t-elle. Pourquoi ferais-je tout ça ?

– Je vous l'ai dit : une fois éveillé, Banerjee aura sans doute la solution au mystère de cette pièce. Il saura quel dossier prendre, et comment l'interpréter.

– Vous ne savez même pas ce que je cherche...

– C'est vrai, mais quoi que ce soit, vous ne l'avez pas trouvé. Banerjee, lui, en sera capable. Assez perdu de temps, maintenant. »

Je commençai à chanter. D'abord réticente, la jeune femme me donna la réplique. La porte des archives était capitonnée : il était peu probable – mais pas impossible – que l'on nous entende depuis l'extérieur, à plus forte raison depuis l'entrée de l'immeuble. Toutefois, nous n'étions pas à l'abri d'une ronde.

Je n'avais pas la moindre certitude quant à l'efficacité réelle de ma démarche. Pouvions-nous réellement additionner nos forces pour ramener Banerjee dans le monde de l'éveil ?

Je n'avais pas d'autre choix que d'y croire encore un peu. Le scepticisme ouvertement affiché de ma comparse n'était du reste pas le meilleur des encouragements.

Quand nous eûmes terminé le chant, rien n'avait changé ; Banerjee était toujours aussi froid et immobile. Je mentis alors :

« Il faut faire cela plusieurs fois.

– Vraiment ? Comment le savez-vous ? Vous ne m'avez pas l'air bien sûr de vous.

– Je le sais, c'est tout. Reprenons...»

Elle ne me croyait pas. Pourtant, quelque chose la poussait à m'aider ; l'intérêt, peut-être, ou bien simplement le sens du devoir... voire cette chose si rare qu'on appelle l'honneur. Car même si elle était bien loin de comprendre ce qui se passait dans le détail, un fait demeurait : nous en étions là par sa faute. Et elle le savait.

Je recommençai à chanter. La mystérieuse jeune femme m'imita, et je sentais que petit à petit, elle basculait dans un état d'engourdissement et s'abandonnait, bien malgré elle, à notre rituel.

C'est alors que je sentis la chaleur affluer dans les doigts de Banerjee et avec elle, l'espoir. Ce dernier devait se lire sur mon visage, car ma comparse me jeta un regard plein de compassion. Je prononçai encore une strophe, elle m'imita. Les muscles de Banerjee bougeaient, ses paupières s'agitaient : il revenait à lui.

Tout à coup, il se redressa comme un diable à ressort. La jeune fille poussa un cri et lâcha sa main.

«Banerjee, mon vieux ! m'écriai-je. Vous êtes revenu ? Pour de bon ?»

Il tourna la tête vers moi ; des cernes cerclaient ses yeux, et son front ruisselait de sueur. Toutefois, c'est avec sa nonchalance proverbiale qu'il me dit :

«Le voyage a été long, et très difficile. Mais oui, me revoilà. Grâce à vous, Christopher. Et à vous aussi, mademoiselle... Mademoiselle...

– Lenora, dit-elle. Chez lord Scriven, j'étais...

– Emily, oui, je sais.»

J'intervins :

«Tiens ! Lenora, donc ? Pourquoi n'ai-je pas eu l'honneur d'apprendre votre prénom plus tôt ?

– Est-ce vraiment important ? » répliqua-t-elle d'un ton navré.

Banerjee se releva complètement et fit deux premiers pas chancelants.

« Je n'aurais jamais cru que cela puisse fonctionner, Christopher. Vous avez plus de ressources que vous ne l'imaginez.

– À vrai dire, je ne sais même pas ce que j'ai fait, admis-je.

– Le monde du sommeil m'a réclamé. Il voulait me garder. Comme le nôtre, il a ses règles, et celle des vingt-six minutes est, en théorie, inviolable. Mais vous venez de prouver que la pratique était différente. En unissant vos forces, vous m'avez tiré de… sables mouvants imaginaires, en quelque sorte. Mais je ne sais pas si cette expérience pourrait être tentée à nouveau. Les forces du rêve nous ont fait une petite faveur. »

Je méditais ces paroles quand soudain, Banerjee se mit à siffloter.

« Vous aimez donc à ce point la musique, tous les deux ? » demanda Lenora.

Banerjee s'approcha du pupitre à touches, et appuya sur plusieurs lettres.

Aussitôt, une musique affreuse s'échappa des tuyaux, et une nouvelle bande de carton perforée fut déglutie par la machine. Très concentré, il dit :

« Do dièse, sol, la, ré… »

D'une même voix, Lenora et moi-même fîmes :

« Pardon ? »

Banerjee scruta les étagères, puis, satisfait, s'empara d'un dossier.

Il me le tendit en déclarant :

« C'est celui de Brown.

– Mais… »

Il recommença la même manœuvre, et s'empara d'un deuxième dossier en annonçant :

« Et voici celui de lord Scriven. »

Alors, il se tourna vers Lenora et lui demanda :

« Le moment est venu de nous dire ce que vous, vous cherchiez, mademoiselle. »

Lenora et lui échangèrent un long regard. Puis, du bout des lèvres, elle annonça :

« Buchan. C'est le nom que je cherche.

– Bien. »

Cette fois, Banerjee n'essaya même pas de nous infliger une nouvelle torture auditive. Il marcha le long des rayonnages, examinant les étiquettes avec attention. Puis, il s'arrêta, retira un dossier de son emplacement, et le confia à Lenora. Elle l'ouvrit fébrilement, mais eut l'air découragée en en examinant le contenu :

« C'est comme tout le reste ici. C'est incompréhensible.

– Ça ne l'est plus pour moi. Mademoiselle, puis-je vous convaincre de partir avec nous ? Nous avons certainement beaucoup de choses à nous apprendre mutuellement. »

Elle secoua la tête.

« Je regrette. Ma quête est personnelle. Je ne veux y mêler personne. Je finirai par comprendre tout ce que cela signifie.

– Je n'en doute pas, insista Banerjee, mais… avez-vous vraiment le luxe de perdre du temps ? Repartez avec nous, et laissez-moi vous aider. Après, libre à vous d'agir comme bon vous semble. »

Elle hésita encore, puis déclara :

« C'est entendu. Mais ne croyez pas que cela m'engage à quoi que ce soit.

– Je l'entends bien ainsi. Mais n'oubliez pas ceci pour autant : la vengeance est la pire des motivations.

– Qui vous parle de vengeance ?

– Vous. Dans votre attitude, vos mots, votre ton. Tout me l'indique.

– Écoutez, je…

– Nous en reparlerons plus tard. Maintenant, il est temps de nous échapper d'ici. »

Enfin ! Cela faisait déjà un petit moment que je trouvais le temps long ; notre chance pouvait tourner. Les bras encombrés de dossiers, nous quittâmes la salle des archives à pas de loup, non sans avoir verrouillé la porte. Plus longtemps on mettrait à remarquer l'intrusion, mieux cela serait.

Une fois revenus au premier étage, nous fûmes mis en alerte par un grognement qui venait de plus bas. Banerjee s'avança en éclaireur – et je dois bien reconnaître que je n'avais jamais vu qui que ce soit se mouvoir avec une telle légèreté. Il revint vers nous après avoir disparu quelques instants dans les ténèbres, et nous fit signe de nous hâter ; nous eûmes le temps de constater que le grognement était en fait formé des ronflements conjugués du garde et de son molosse, tendrement endormis l'un sur l'autre dans le creux d'une banquette.

Après le passage obligé par les caves, nous fûmes à nouveau à l'air libre.

« Il faut retourner au théâtre le plus vite possible, dis-je.

– Au théâtre ? s'inquiéta Lenora.

– Nous vous expliquerons. Banerjee, voilà un fiacre. Ne laissons pas filer l'occasion ! »

Nous montâmes tous les trois à bord quelques secondes plus tard, et je criai notre destination au cocher. Nous restâmes un long moment à nous dévisager mutuellement, puis, Banerjee coupa court à l'embarras :

« Nous avons quelques minutes avant d'arriver. Alors, je vais en profiter pour vous expliquer mon rêve. »

Lenora eut l'air consterné.

« Votre rêve ? J'avais entendu parler de certaines choses à votre sujet, mais…

– Ne cherchez pas à comprendre pour le moment, fis-je. Écoutez-le, posez les questions après. »

Banerjee, les mains jointes devant sa bouche comme en prière, commença :

« Ce rêve était d'une limpidité presque littérale. Qu'avions-nous, pour commencer ? Une salle de concert dont on ne pouvait voir le public, et un orchestre caché derrière un rideau.

– Je m'en souviens d'autant mieux que j'y étais également, lançai-je.

– Certes. Vous rappelez-vous ce personnage qui, armé de sa manivelle, essayait en vain de lever le rideau ?

– Évidemment.

– Son costume bariolé, je le réalise, m'a été inspiré par la comédie italienne. Comment s'appelle ce personnage, déjà ? Arlequin ?

– Lui-même.

– Bien. Mais ce qu'il faut retenir, c'est que je l'associe à l'Italie.

– Et ?

– Je crois que dans mon esprit, j'ai fusionné notre marchand de glaces italien et le joueur d'orgue de barbarie. Ceux que nous avons vus quand nous faisions le guet devant Kreuger Steel.

– Oui. Le marchand de glaces était polonais, mais en effet, il se faisait passer pour italien. En quoi sont-ils importants ?

– Dans mon rêve, l'arlequin tourne une manivelle, mais le rideau de la scène ne monte jamais. En revanche, on entend la musique. Cela m'évoque, bien entendu, l'orgue de barbarie. Une fois encore. Un orchestre caché dans un coffre, ou derrière un rideau...

– Parfait, dis-je. Mais que faites-vous du soldat ? De l'ours ?

– C'est évident. Tous les deux applaudissaient, seuls au milieu d'une salle qui semblait vide, mais qui ne l'était pas. Cela veut dire que cette musique leur était destinée. À eux seuls.

– Et cette musique…

– Vous vous demandiez comment Kreuger livrait ses renseignements à l'ennemi, Christopher. Voilà la réponse. Vous rappelez-vous quand l'orgue s'est mis à jouer une musique dissonante, dans le parc ?

– Bien entendu. Il y a toujours un moment où ça arrive, depuis que je connais ce musicien de rue. Cet orgue est bon pour la casse.

– Peut-être pas, Christopher. Ce musicien est sans nul doute un complice de Kreuger. Enfin : peut-être ne sait-il pas réellement ce qu'il fait. Il n'est peut-être, sans jeu de mots, qu'un instrument. Toujours est-il que ces passages cacophoniques sont un moyen de transmettre un message codé. »

Lenora buvait les paroles de Banerjee. J'intervins :

« Codé ? De quelle manière ?

– La machine de la salle des archives est prévue à cet usage. Chaque lettre de l'alphabet est représentée par une note de musique, sur trois octaves. C'est ce qui m'est apparu en appuyant au hasard sur les touches. J'ai entendu qu'en appuyant sur le A, la machine produisait un do ; sur le B, un do dièse. Et ainsi de suite jusqu'au Z, qui sonnait deux octaves plus haut que le B.

– Vous avez déduit ça à l'oreille ? demandai-je. Chapeau !

– Une note à la fois, ce n'est pas compliqué quand on a un minimum d'éducation musicale.

– Ça l'est pour moi, mais continuez.

– Quand on appuie sur une lettre, la machine produit donc la note correspondante, et perfore une carte. Ce sont ces cartes que le joueur d'orgue utilise ensuite. Vous savez comment fonctionnent ces instruments ?

– Oui, oui, fis-je… On y charge des bandes de carton pliées en accordéon, perforées, qui vont enclencher les bonnes notes. Bon sang ! Alors, si je vous suis, la machine crée une sorte de

partition pour orgue de barbarie? Une mélodie a priori iné-
coutable, qui cache en fait un message?

– C'est exactement ça.

– Maudit Atherton! m'écriai-je. Plus d'une fois, je l'ai vu
s'approcher du joueur d'orgue, à l'époque où je me faisais
passer pour un employé de Kreuger. C'était donc pour lui
remettre les cartes perforées? Je n'ai rien vu... Jamais!

– Atherton est sans doute un homme prudent. Et discret.
Je pense même que cette discrétion vous a amené à le sous-
estimer.

– Vous avez raison, admis-je. Et puis, tout est si simple
ainsi : à peine sorti, il transmet les informations. C'est réglé en
quelques minutes. Mais au fait, vous ne m'avez rien dit pour
l'ours et le soldat?

– Ils représentent la Russie et l'Allemagne, dans mon esprit.
Mais je ne m'appuie sur rien de précis pour l'affirmer. Ce
sont nos ennemis probables, certainement pas nos ennemis
confirmés. »

Je regardai par la fenêtre du fiacre ; nous n'allions pas tarder à arriver au théâtre.

« Si je résume, ajoutai-je, Atherton code tous les documents
secrets à l'aide de la machine. Puis, il transmet les bandes de
carton au joueur d'orgue qui, à une heure sans doute déterminée à l'avance, "joue" les informations à des espions allemands,
ou russes, ou que sais-je, qui se trouvent au milieu de la foule
anonyme?

– C'est cela. »

J'hésitai, puis :

« Comme vous l'avez dit, une note à la fois, c'est une chose.
Mais il faut que ces espions soient fichtrement doués en dictée
musicale pour retranscrire toute une partition, jouée à toute
vitesse dans un parc, en une seule écoute!

– En effet. Il doit probablement y avoir dans leurs rangs des musiciens très compétents. De mon côté, trouver les bons dossiers était plus simple puisque leur tranche comportait non pas des perforations, mais bel et bien des notes sur une portée. À une note, une lettre. Ce n'était qu'un peu de calcul mental, en quelque sorte. Un petit jeu de substitution. Mais comme vous le dites, il en irait tout autrement si nous étions dans les mêmes conditions que ces espions. Je serais incapable d'effectuer cette transcription à la volée. »

Je restai pensif. Banerjee ajouta :

« Au fait, le fourneau... Il permet sans nul doute de mettre le feu aux documents originaux, une fois qu'ils sont transcrits en notes de musique. C'est ce que symbolisaient ces employés ordinaires réduits en cendres, dans mon rêve...

– Bien, la manœuvre de Kreuger nous est désormais familière, enchaînai-je. Et nous avons les dossiers de Brown et Scriven, sous forme de cartes perforées. Nous trouverons un moyen de les décrypter, j'en suis sûr. Toutefois, si nous voulons que Kreuger soit arrêté, il reste à le prendre la main dans le sac.

– Nous aviserons demain. Faites-moi confiance.

– Oh ! je vous fais confiance... Mais au fait ? Mon propre rêve ? »

Banerjee leva la main en signe de mise en garde :

« Cela, Christopher, ne concerne que vous. Les rêves d'autrui ne s'expliquent pas. Vous seul avez la clé. Oh ! mais je crois que nous voilà arrivés. »

Les abords crasseux du théâtre venaient en effet d'apparaître derrière la vitre. Le cocher stationna à quelques mètres de l'entrée, et nous annonça le montant de la course sans autre forme de procès.

Alors que Banerjee réglait, je dis à Lenora :

« Vous ne pouvez pas venir avec nous. Mais serez-vous toujours là quand nous reviendrons ? Pouvons-nous vous faire confiance ?

– Je n'ai pas de comptes à vous rendre, rétorqua-t-elle avec arrogance.

– Non, mais vous avez une dette.

– Je ne pense pas. Je me suis prêtée à vos simagrées, plus rien ne me retient. »

Nous n'avions pas le temps d'argumenter, aussi répliquai-je : « Faites comme bon vous semble, mademoiselle. »

Nous descendîmes tous trois du fiacre, mais Lenora resta en arrière quand celui-ci eut redémarré. Banerjee et moi partîmes au pas de course en direction de la sortie des artistes.

La porte de service était verrouillée, à cette heure, bien évidemment ; mais après quelques instants à tambouriner, quelqu'un vint nous ouvrir. Cela devait être l'un des acteurs, mais n'ayant pas assisté à la représentation de visu, il était difficile de le savoir avec certitude. Toujours est-il qu'il ne posa aucune question, pas plus qu'il ne manifesta l'ombre d'un étonnement.

Bien vite, nous fûmes derrière la porte de la loge de Ms. Neville. Je plaquai l'oreille contre le panneau, et dans un premier temps, je n'entendis rien. Puis, je perçus un gémissement et enfin, une voix d'homme :

« Vous ne comprenez donc pas ? fit l'homme – que je reconnus comme Atherton. Je n'ai plus le choix, maintenant. Oh ! Cassandra, ne me regardez pas ainsi. C'est de votre faute, tout est de votre faute. »

Il y eut une pause. Je vis, à son air, que Banerjee avait lui aussi entendu. J'écoutai encore :

« J'ai vraiment cru que vous étiez différente des autres. Mais vous m'avez menti, et plus rien ne pourra l'effacer. Ne vous inquiétez pas, ce ne sera pas long. »

En un regard échangé, Banerjee et moi étions d'accord ; nous assénâmes à la porte un coup d'épaule bien concerté, et la serrure céda.

Debout au milieu de la loge, un scalpel à la main, il y avait Atherton, écumant comme un chien enragé ; et à ses pieds, bâillonnée et ligotée avec l'un de ses propres foulards, gisait Cassandra Neville, terrorisée et en larmes. Atherton fit volte-face, nous dévisagea un moment, puis se rua vers nous en hurlant.

Jamais je n'aurais pensé que ce petit être terne pouvait abriter une telle rage ! Ses mouvements étaient désordonnés et rapides, et je savais à quel point un tel adversaire pouvait se révéler dangereux ; j'aurais été moins inquiet de le voir adopter une posture de combat plus orthodoxe.

Il zébra l'air de sa lame plusieurs fois, et ce n'est que de justesse que nous pûmes l'éviter. Alors, Banerjee retira précipitamment sa veste et l'enroula autour de son avant-bras. Ainsi protégé, il para une nouvelle attaque d'Atherton, puis une autre ; à la troisième, il profita de l'élan de son adversaire pour l'expédier dans un coin de la pièce. Atherton, d'abord décontenancé, s'élança à nouveau. Banerjee bloqua la lame à l'aide de son manchon improvisé, et frappa Atherton à la gorge d'un coup sec. Celui-ci recula en s'étranglant, et laissa tomber le scalpel à ses pieds. Je fis un pas en avant, et Banerjee me retint :

« Christopher, ne laissez pas la colère vous submerger. »

Puis, après un instant, il ajouta :

« Ceci étant posé... la frustration n'est pas toujours bonne non plus. Je vous en prie ! »

J'avalai les deux mètres qui me séparaient d'Atherton, et avant qu'il n'ait pu faire quoi que ce soit, je lui expédiai un crochet à la mâchoire (que n'aurait pas renié John L. Sullivan[1]), qui l'étendit, raide.

---

1. Célèbre boxeur américain du début du XXe siècle, considéré comme le premier champion du monde des poids lourds. NdA.

Après avoir vérifié qu'il était inconscient pour un moment, j'allai libérer Cassandra, qui se tortillait à terre en roulant des yeux.

« C'est de votre faute ! hurla-t-elle dès que le bâillon fut ôté. Il allait me tuer ! Il a dit que c'est lui qui avait tué toutes les autres ! Oh ! mon Dieu, je vous déteste, je vous déteste ! Je savais bien que ce type n'était pas normal ! »

Banerjee s'approcha et lui dit doucement :

« Vous avez été très courageuse, et nous...

– Courageuse ? Je t'en ficherai, moi, du courage ! Quand je pense à ce que vous m'avez raconté ! »

Je savais bien mieux que Banerjee comment parler à ce genre de personnes.

« Miss Neville, commençai-je, je crois que vous ne saisissez pas le potentiel de la situation. Demain, tous les journaux parleront de vous comme d'une héroïne. Vous allez faire les gros titres du *Times* : vous êtes celle qui a échappé au tueur de femmes. Votre carrière est lancée, pour de bon ! Le public va se presser pour vous voir. »

Ces paroles semblèrent avoir fait mouche. Elle se redressa, frotta ses poignets encore rouges, puis alla se servir un verre d'alcool.

« Je préfèrerais que la police ne nous trouve pas ici, ajoutai-je. Nous allons attacher ce monstre à un fauteuil. Bien entendu, rien ne vous oblige à rester avec lui. Vous pourriez...

– Ne vous inquiétez pas, dit-elle en fixant le corps d'Atherton. S'il tente quoi que ce soit, désormais, je ne le raterai pas. Ah ! mon beau ! Tu vas regretter de m'avoir connue. »

Nous ligotâmes Atherton encore assommé au dossier d'un fauteuil, comme prévu, et laissâmes Ms. Neville veiller sur le sinistre sire. Avant de quitter les lieux, Banerjee alla trouver le directeur de la troupe, affairé à compter la recette. Il fit la grimace quand il apprit que la police allait venir ; toutefois, quand on lui demanda de tenir sa langue à notre propos pour le double de la somme convenue initialement, il eut l'air d'être l'homme le plus heureux du monde.

Il était temps de quitter ce théâtre – et de ne jamais y revenir.

« Dites-moi, Christopher... commença Banerjee alors que nous sortions. Quand les meurtres de ce fameux Jack l'Éventreur ont-ils eu lieu ?

– 1888. D'autres meurtres ont ensanglanté Whitechapel jusqu'en 1891, mais rien ne prouve qu'ils avaient été commis par le même homme.

– Je vois. Ils se sont donc arrêtés mystérieusement ?

– Aussi brutalement qu'ils avaient commencé, oui. Pourquoi ?

– Ne m'avez-vous pas dit qu'Atherton, bien qu'anglais, avait passé de nombreuses années aux États-Unis ? Je serais curieux de savoir quand il est parti, et quand il est revenu. »

Je souris :

« Je vous propose de garder ça pour une autre fois.

– Bien entendu. »

La pluie commençait à tomber, et j'étais perclus de fatigue.

« Au fait, Banerjee... Pour un non-violent, vous m'épatez. Je n'avais jamais vu quelqu'un se battre comme ça. Une bien drôle de boxe ! Je n'aurais pas cru que votre... gymnastique faisait de vous un adversaire aussi redoutable.

– Redoutable, je ne le suis certainement pas. Mais être magnanime avec son ennemi, c'est être cruel envers soi-même. Ce qui n'est pas souhaitable, n'est-ce pas ? »

Je ne répondis rien, car j'éprouvais désormais un autre motif de contrariété. Lenora n'était plus là, comme je le craignais. Pendant un instant, j'espérai que c'était la pluie, de plus en plus forte, qui la cachait à notre regard, et que sa silhouette allait bientôt nous apparaître. Mais ce ne fut pas le cas. Les Londoniens dormaient au chaud chez eux, et plus personne ne battait le pavé ; à l'exception de nous, la rue était vide. Sans Lenora, de nombreux mystères demeuraient sans réponse. Mais à la vérité, sans que je puisse me l'expliquer, mon angoisse venait moins des difficultés de notre enquête que de la perspective de ne plus jamais la voir.

Impassible comme une statue, ruisselant, Banerjee déclara : « Marchons, allez. »

Il n'y avait rien d'autre à faire, rien d'autre à dire. Nous entamâmes notre marche, alors même que la pluie venait de se frayer un chemin à travers mon manteau. Les bords de mon chapeau, pareils à des gouttières, s'étaient désormais piteusement affaissés. Je grelottai, et émis un juron.

Après cinq bonnes minutes, nous entendîmes un bruit de sabots derrière nous. Un fiacre nous dépassa, mais il paraissait occupé, et je n'avais même plus la force de le héler. Pourtant, il s'arrêta quelques mètres plus loin. Quand nous fûmes à sa hauteur, la porte s'ouvrit ; à l'intérieur, Lenora nous attendait en tremblant de froid.

« Ne laissez pas passer votre chance, gentlemen. Je vous en prie ! » lança-t-elle avec énergie.

Alors qu'il allait monter, Banerjee posa une main sur mon épaule et la serra. Il était rare qu'il manifeste physiquement sa gratitude, voire des sentiments de quelque sorte que ce soit. J'en fus honoré et touché.

Nous prîmes place et le fiacre démarra.

« Et un bon anniversaire, Atherton... », pensai-je alors que nous nous éloignions.

XII

Sur un air d'orgue

Compte tenu de l'heure tardive de notre retour à Portobello, Lenora, plutôt que de rentrer seule, avait passé la nuit en nos murs. En bon gentleman, je lui avais laissé ma chambre après avoir élu domicile sur l'un des sofas de la salle d'attente. Ce ne fut pas la nuit la plus reposante, d'autant que de nombreuses questions me trottaient en tête, et que la fatigue n'avait su prendre totalement le pas sur l'excitation.

Quand vint l'heure du petit-déjeuner, auquel se joignit Lenora, il me sembla que la discrète Polly ne trouvait guère à son goût la présence de cette invitée-surprise. Je la vis tordre la bouche à chaque fois que Lenora ouvrait la sienne, et lever les yeux au ciel pour un oui ou un non. Je choisis de m'en amuser.

Je m'attendais à ce que les journaux annonçassent en gros titre l'arrestation d'Atherton ; après tout, avec elle cessait cette nouvelle vague d'assassinats, et peut-être même apportait-elle la solution à une affaire plus ancienne. Mais il n'en était rien. J'eus beau chercher dans les recoins les plus discrets de tous les principaux quotidiens, pas un seul d'entre eux ne mentionnait les faits de la veille. Je ne m'en étonnai pas bien longtemps. Kreuger ne tenait sans doute pas à ce que l'un de ses employés fût associé à un pareil scandale, et son influence était suffisante pour ôter à n'importe quel journaliste l'envie de faire du bruit. J'en savais quelque chose. Du reste, il n'était pas impossible non plus qu'il bénéficiât de quelques appuis au sein de la police. J'espérai seulement qu'Atherton serait jugé comme il se devait.

Polly prétexta une vague histoire de courses à finir pour s'échapper de table, et s'en fut de fort méchante humeur.

« Quelque chose ne va pas avec Polly ? m'enquis-je.

– Il est possible que la situation présente ravive quelques souvenirs douloureux, confia Banerjee.

– Lesquels ? insistai-je.

– Il ne m'appartient pas de vous le dire. Polly vous en parlera elle-même un jour, peut-être. Mais il est plus probable qu'elle ne le fera jamais. »

Banerjee n'en dit pas plus, et considéra alors que le moment était venu d'aborder toutes ces questions qui pouvaient difficilement demeurer plus longtemps sans réponse :

« Lenora, commença-t-il, vous savez désormais que vous pouvez nous faire confiance. Aussi, serait-il possible... »

Elle fronça les sourcils et eut un geste d'agacement.

« Épargnez-moi vos précautions oratoires, monsieur Banerjee. Vous voulez savoir qui je suis, et je vais vous répondre.

– Pas "qui vous êtes". Cela, vous ne pourrez vraiment le savoir qu'à l'instant de votre mort. Comment pourrait-on se définir avant ? »

Lenora demeura interdite. Amusé, je me permis d'ajouter :

« Ne vous inquiétez pas : cela demande un petit temps d'habitude, mais on finit par s'y faire.

– Bien, reprit-elle avec une assurance quelque peu entamée. Je m'appelle Lenora Buchan. Benjamin Buchan, dont vous avez retrouvé le dossier, était mon père. Lui aussi travaillait pour Kreuger.

– Vous en parlez au passé, fis-je remarquer.

– Oui. Mon père s'est pendu, il y a deux ans de cela. »

Cette annonce jeta un léger froid, mais Lenora ne le laissa pas flotter longtemps.

« Mon père travaillait en tant que chef du service comptable de Kreuger. Quelque temps avant sa mort, ma mère et moi l'avions trouvé passablement agité, en proie à une vive inquiétude. Il n'aimait guère parler de son travail, mais nous étions persuadés que cette contrariété y était intimement liée. Et au cas où vous vous le demanderiez, non : j'ignore ce qui paniquait mon père à ce point. Mais il ne fait aucun doute que certaines pratiques de Kreuger Steel sont illégales. Si mon père les avait découvertes, ce qui est probable... et connaissant son intégrité, il n'aurait sans doute pas pu les garder pour lui.

« Vous pensez que votre père a été acculé au suicide ? intervint Banerjee.

– J'en suis sûre, fit Lenora alors que son regard s'embuait. Sûre et certaine. Alors, depuis deux ans, je mène mon enquête. Récemment, j'ai eu vent de la collaboration entre lord Scriven et Kreuger. Je pensais que me faire engager par le lord me permettrait de glaner de nouvelles informations. J'ai donc changé d'identité, et... vous connaissez la suite. »

Banerjee eut l'un de ces gestes curieux qui m'évoquent toujours quelque cérémonial obscur, puis déclara :

« Avez-vous découvert quoi que ce soit ? »

Lenora baissa les yeux.

« Rien de très concluant. Si ce n'est que contrairement à ce que je pensais, lord Scriven n'était probablement en rien complice de Kreuger. Je crois qu'il lui est arrivé la même chose qu'à mon père : on l'a forcé au silence. La différence, c'est que mon père n'était qu'un modeste employé. Lord Scriven, lui, était l'une des figures les plus importantes du royaume. Je ne pensais pas que Kreuger oserait aller jusque là.

« Et vous avez donc décidé de nous espionner, ajoutai-je.

– Il m'a semblé que vous étiez plus avancés que moi. Et il y a des choses qui ne sont pas du ressort d'une jeune femme, quelle que soit sa détermination. J'ai donné mon congé à lord Thomas peu après votre départ, et j'ai tâché de vous suivre du mieux que je pouvais. J'ai vu quand vous m'avez repérée devant chez Kreuger, hélas !

– Rien ne nous échappe, pas vrai, Banerjee ? Mais dites-moi, Lenora... Quand vous avez décidé d...

– Nous avons assez parlé de moi, je crois, m'interrompit-elle. Il y a plus urgent à discuter. Monsieur Banerjee, avez-vous la moindre idée de ce que nous allons pouvoir faire des dossiers que nous avons volés hier soir ? S'ils comportaient des portées et des notes, comme leur tranche, nous pourrions les déchiffrer avec beaucoup de patience. Mais il s'agit de cartes perforées, complètement inutilisables en tant que telles !

– C'est vrai, fit le détective avec son assurance désarmante. Mais il y a une solution fort simple.

– Je serais ravi que vous puissiez partager cela avec nous, ajoutai-je.

– Ces cartes sont jouées à l'aide d'un orgue de barbarie. Il nous suffit de nous procurer un modèle identique, et de l'utiliser pour décoder nos dossiers. »

Je demeurai pensif, puis répliquai :

« Je suppose que cela peut fonctionner. Et même si je ne connais pas de vendeur d'orgues, cela ne doit pas être hors de portée non plus. Admettons. Mais après ? Comme vous l'avez dit hier, va pour quelques notes. Vous imaginez le temps que nous allons mettre à retranscrire tout ça ? Sans parler des risques d'erreurs.

– Voilà pourquoi nous allons avoir besoin d'aide pour cela aussi. Quelqu'un de plus efficace que nous sur le plan... musical. »

Lenora demeura muette, et Banerjee se mit à suivre la course d'une goutte de pluie sur l'un des carreaux de la pièce.

« Bon, repris-je de guerre lasse. Si je comprends bien, il reste donc à nous mettre dans la poche un chef d'orchestre

– ou un quelconque érudit musicologue – ainsi qu'un orgue de barbarie. Je pense que la journée va être sacrément remplie.»

J'allais me lever quand Banerjee ajouta finalement :

«Ce matin, avant que vous descendiez, je me suis permis de parcourir le dossier de lord Scriven. Je ne pensais pas y comprendre quoi que ce soit, mais grand bien m'en a pris. Il comportait un document isolé. Le seul à ne pas être crypté.

– Ah! Que disait-il? m'empressai-je de demander.

– Il consistait en une simple feuille blanche, au milieu de laquelle était écrit, en lettres rouges, OBEY![1] Et elle portait la signature *Mordred*. Ce document ne livre pas beaucoup d'informations, et je suppose que c'est pour cela qu'il est resté sous cette forme. Particulièrement intimidante, je dois dire.»

Mordred : ce nom ne me disait strictement rien, et j'étais désespéré de voir l'affaire se complexifier de la sorte au moment où j'espérais, au contraire, qu'elle allait s'éclairer. Lenora, elle, avait buté sur un autre détail :

«Vous avez dit "en lettres rouges"...

– Oui, miss Buchan. Je pense qu'il s'agit de sang.»

«De mieux en mieux», ruminai-je en silence.

*

Un orgue de barbarie, un musicien émérite... Contre toute attente, il ne fut pas bien difficile de venir à bout de la première moitié de ma quête. Il se trouvait, à Londres, de bonnes âmes prêtes à vous vendre ou louer n'importe quoi, et par chance, les orgues de barbarie faisaient partie du «n'importe quoi».

Je trouvai mon bonheur chez un prêteur sur gages de Tottenham Court Road, tout ravi de me céder son bien en arguant de ce qu'il avait appartenu au «plus grand joueur

---

1. Obey! : «obéissez!» en anglais.

d'orgue de barbarie de tout Londres». On pouvait donc plus ou moins bien tourner cette fichue manivelle? Peu importe: le prêteur cherchait à gonfler ses prix, et moi, je n'avais pas le temps de pinailler. Je payai en protestant.

L'engin n'était par ailleurs pas un poids plume, et même si je pouvais le faire rouler, le rapporter jusqu'à Portobello ne fut pas une partie de plaisir.

À mon retour, je constatai que Banerjee et Lenora étaient sortis. En les attendant, je m'empressai de vérifier que les cartes perforées contenues dans les dossiers pouvaient bien être utilisées avec ce modèle d'orgue précis; c'était le cas, et je tournai la manivelle avec entrain. En conséquence, pendant quelques minutes, une cacophonie abominable régna dans le bâtiment. Polly s'en alarma, et mes explications n'eurent pas l'effet escompté:

«Oh! si c'est pour aider Lenora, vous pouvez bien entendu continuer à me casser les oreilles, ça va sans dire, me lança-t-elle d'un ton aigre.

– Polly, votre attitude...

– Oui? Qu'a donc mon attitude?

– Elle me semble un peu... agressive, depuis l'arrivée de Lenora. L'a-t-on vraiment mérité?»

Polly posa les mains sur ses hanches, et sa mine s'adoucit un peu.

«Je suis désolée, Christopher. Moi non plus, je ne suis pas arrivée dans cette maison dans des circonstances très heureuses. Ce serait une trop longue histoire, mais... sachez que M. Banerjee a été comme un frère pour moi.

– Et vous avez peur de la concurrence, en quelque sorte?»

Elle sourit:

«Peut-être bien. Même si je sais que c'est stupide.

– Polly, vous...

– Vous n'obtiendrez rien de plus de moi! Retournez à votre boucan, j'ai à faire. Je vais me mettre du coton dans les oreilles.»

Je demeurai seul. Il me restait à trouver notre musicien, celui qui serait à même de retranscrire les notes jouées par l'orgue. N'importe quel élève de conservatoire un peu doué aurait probablement fait l'affaire, mais nous avions une autre contrainte : la discrétion. Notre musicien allait décrypter des informations confidentielles, et être amené, à un moment ou à un autre, à se demander pourquoi elles étaient en notre possession. Nous devions donc faire appel à quelqu'un de confiance.

Or, mes précédentes activités m'avaient conduit à rencontrer une foule d'individus très différents, officiant dans les domaines les plus variés. En fouillant dans mes souvenirs, je me rappelai l'existence d'un dénommé Franz Herzog, qui avait été au centre d'un petit scandale alors qu'il exerçait au sein du London Philarmonic Orchestra. Il avait été accusé d'avoir abusé du grand âge d'une riche bienfaitrice, pour la dépouiller d'une partie de sa fortune. Déchu de son titre de chef d'orchestre, Herzog avait élu domicile dans un modeste appartement au sud de la Tamise. Je l'y avais rencontré afin de recueillir sa version des faits. Ses arguments m'avaient d'abord plutôt convaincu, et j'avais publié un premier papier prenant sa défense. Toutefois, la suite de mon enquête me révéla qu'Herzog était en réalité bel et bien coupable des faits qui lui étaient reprochés, et je dus changer mon fusil d'épaule. Son avocat lui évita la prison, mais pas la déchéance sociale. Et compte tenu de l'état dans lequel je l'avais laissé, il ne pouvait être que mort ou toujours terré au même endroit ; je m'y rendis sans plus attendre.

En arrivant près de son immeuble, je songeai qu'Herzog pouvait m'avoir oublié, auquel cas il y avait peu de chances qu'il acceptât de m'aider ; mais à l'inverse, s'il se souvenait de moi, il m'en voulait certainement. Je décidai de prendre le risque et montai les deux étages qui me séparaient de son appartement. Je frappai à sa porte, en me félicitant du fait que celle-ci portât encore une étiquette à son nom. Quelques instants plus tard, j'entendis un pas traînant, et quelqu'un fit jouer un verrou.

« Qui est là ? fit une voix éraillée à travers la porte.

– Monsieur Herzog ? C'est Toph Carandini. Vous vous souvenez de moi ? »

Il y eut un silence, puis la voix reprit :

« Carandini... Je me souviens bien de vous, petite fripouille. Décampez, ou je vais chercher mon fusil ! »

La partie n'était pas gagnée.

« Monsieur Herzog, je pense qu'il y a erreur sur la personne. Je suis celui qui vous a défendu. Dans le *Daily Star*.

– Vous m'avez défendu, puis enfoncé, vermine !

– Vous ne voulez pas ouvrir, que l'on puisse en parler calmement ? »

Je sentis l'individu hésiter, puis la porte s'ouvrit. Je me retrouvai alors face à une chose que je n'aurais pas spontanément identifiée comme un être humain. Une barbe rousse lui grignotait la totalité du visage, et en s'y penchant de plus près, on aurait certainement pu déterminer ce qu'il avait mangé au cours des derniers jours – voire des dernières semaines. Ses cheveux tombaient plus bas que ses épaules, et cette pilosité accaparait tellement mon attention que je ne m'aperçus pas immédiatement d'un détail fâcheux : Herzog était entièrement nu. Il ne lui aurait plus manqué qu'une massue pour ressembler tout à fait à un homme des cavernes. À ceci près que ces derniers, si j'en croyais le Muséum d'histoire naturelle, avaient au moins l'élégance de se vêtir d'une peau de bête. Je m'exclamai :

« Herzog, pour l'amour du ciel, habillez-vous ! Vous n'y pensez pas, voyons ! Dans quel état...

– Oh ! pas de leçon, je vous en prie, Carandini. Pas de votre part ! Tout ça, mon état... c'est en partie votre faute.

– Oui, protestai-je, mais je vous rappelle que vous étiez vraiment coupable.

– Oh! c'est un détail, un détail», maugréa-t-il.

Toujours très embarrassé par la situation, j'insistai :

« Herzog, passez un pantalon, ou autre chose, mais de grâce, ne m'imposez pas cette... vision.»

Il haussa les épaules et me dit :

« Petite nature, va...»

Il se saisit d'une étoffe à la couleur indéfinie, qui aurait pu être un drap ou un rideau, et l'enroula autour de lui. Puis, il s'assit sur un fauteuil déchiré de toute part, et me demanda :

« Bien. Que me voulez-vous ? Que peut un homme comme moi pour un homme comme vous ?

– Un homme comme moi... répétai-je. Vous savez, Herzog, les choses ont bien changé pour moi aussi. Mais pour répondre à votre question, j'ai besoin de quelqu'un capable de déchiffrer une partition musicale à l'oreille. C'est dans vos cordes, n'est-ce pas ?»

Son regard me transperça :

«Vous vous moquez de moi ? Je suis peut-être un escroc, mais je reste un musicien. Et pas n'importe lequel ! C'est comme si vous demandiez à John Waterhouse s'il sait toujours peindre.

– Je ne voulais pas vous manquer de respect.»

Ses mains fouillèrent sous le coussin du fauteuil, et exhumèrent un briquet et une cigarette tout aplatie. Il l'alluma d'un geste expert et m'envoya une bouffée au visage.

« Qu'ai-je à y gagner ?

– Hormis ma considération ?

– Carandini, ne jouez pas au plus malin avec moi. Je suis fini à tout jamais dans un orchestre. J'ai joué et j'ai perdu. Mais si vous en êtes réduit à chercher de l'aide auprès d'une épave comme moi, c'est que vous êtes désespéré. Désespéré, et dans l'illégalité. Parce que ce que vous me demandez n'a rien de compliqué. Pour venir me chercher moi, c'est qu'il y a autre chose que vous ne me dites pas. »

Je soupirai.

« Herzog, je ne suis pas aussi désemparé que vous le voyez, mais j'ai pensé, effectivement, que vous seriez la personne qui poserait le moins de questions. Bien. Que voulez-vous en échange de votre aide ? De l'argent ? »

En un rien de temps, la cigarette plate de Herzog s'était transformée en un mégot assez repoussant. Il toussa, puis caressa sa barbe.

« Non, rétorqua-t-il. J'aimerais une nouvelle chambre, qui donnerait sur un jardin paisible. Et une cage avec un petit rossignol. »

Je fronçai les sourcils

« Vraiment ? »

Herzog éclata de rire.

« Ah, ah ! Bien sûr, que non ! Évidemment que je veux de l'argent. Pauvre naïf... »

J'eus une pensée désolée pour ce cher lord Thomas, qui avait si généreusement proposé de financer la suite de notre enquête. La note risquait d'être fichtrement salée au final.

« Bien. Je suppose que nous pourrons trouver un arrangement. En attendant, si vous pouviez passer de vrais vêtements et me suivre ? Je ne vous cache pas que prendre un bain avant serait très apprécié... Mais j'en demande sans doute trop. »

Il ricana et sans rien répondre, il marcha vers ce qui lui servait de salle de bains en faisant mine de diriger un orchestre.

*

Lenora n'avait pas osé prononcer un mot. Polly non plus, quand elle l'avait accueilli. Quant à Banerjee, il observait Herzog avec la plus grande circonspection. En effet, si le musicien avait accepté de s'habiller, il l'avait toutefois fait d'une manière assez personnelle. Rien à dire sur son tricot en laine épaisse ; rien d'anormal en soi, non plus, à ce qu'il portât des pantalons bouffants et des bottes de chasse. En revanche, Herzog avait tenu à m'accompagner affublé d'un casque de chevalier (« teutonique », m'avait-il précisé).

C'était dans cette tenue que les passants l'avaient découvert aujourd'hui ; et même pour un Londonien, la vision avait de quoi surprendre.

Toujours coiffé de son heaume, Herzog s'alluma une nouvelle cigarette.

« Allez, qu'on en finisse, rumina-t-il dans un écho métallique. Envoyez la musique ! »

Dans un silence embarrassé, j'allai chercher l'orgue et les dossiers.

Et avant de procéder, je dis :

« Je vous préviens, Herzog, ne vous attendez pas à ce que ça soit mélodieux. Et… Vous êtes bien sûr que vous voulez garder ça sur la tête ? Vous allez entendre correctement ?

– Au contraire, grâce à ce heaume, je m'isole complètement du monde extérieur : il n'y a plus que la musique et moi. Allez, je vous prie, attaquons. »

Je commençai à tourner la manivelle, et des notes dissonantes vinrent nous agresser. Il était difficile de savoir comment Herzog réagissait, mais en apparence, en tous les cas, il gardait son calme. Il se saisit d'une feuille de papier et du crayon que nous avions mis à sa disposition, et se lança dans la retranscription frénétique de la « mélodie » qui lui parvenait. Il s'agissait du dossier Buchan, et Lenora suivait tout cela avec concentration. Les feuilles se noircirent de plus en plus vite, et fréquemment, Herzog me lançait un « Plus vite, plus vite ! » qui m'incitait à tourner la manivelle sur un rythme soutenu. Quand nous arrivâmes au dernier carton, Herzog posa calmement son crayon puis, après un petit moment, se mit à applaudir à tout rompre. Nous le regardâmes avec gêne, et quand il se fut arrêté, il déclara :

« Mais ce n'était pas mal du tout, pas mal du tout ! J'ai connu en Autriche un jeune compositeur à qui tout cela plairait beaucoup. Arnold Schönberg. Je lui écrirai pour lui en parler ! Je suis sûr que vous entendrez parler de lui un de ces jours. »

Banerjee, sans rien dire, s'empara de la pile de feuilles et commença à scruter les notes. Il demeura cinq bonnes minutes ainsi planté, à examiner les feuilles les unes après les autres. Quand la dernière feuille fut reposée sur la table, Banerjee déclara :

« Miss Buchan, je ne crois pas que votre père se soit tué. »

Lenora blanchit :

« Que dites-vous ? Qu'avez-vous lu ? Vous avez pu déterminer cela rien qu'en lisant les notes ? Sans rien écrire ?

– Une fois que l'on connaît le système, cela n'a rien de compliqué. Et vous savez sans doute que les Indiens sont très doués en calcul mental. En tous les cas, il est écrit ici – je n'ose dire noir sur blanc – que des "dispositions ont été prises" pour empêcher votre père d'ébruiter une transaction qui aurait eu lieu entre Kreuger Steel et une firme concurrente allemande. Mais je pense qu'il vaut mieux garder les détails pour plus tard. Je ne voudrais pas faire perdre son temps à M. Herzog.

– Oh ! vous savez, moi, répondit l'intéressé du fond de son heaume, je me fiche bien de ce que vous pouvez raconter. Et si j'ai bien compris, j'ai encore du travail.

– En effet, confirma Banerjee. Alors autant nous y remettre sans plus attendre. »

Le même manège eut lieu pour les dossiers suivants. Au bout d'une heure, Herzog en avait fini de retranscrire les documents codés. Et à l'exception de Banerjee, toujours stoïque, nous étions tous au bord de la crise de nerfs tant ces « partitions accidentelles » avaient été pénibles à entendre.

Nous remerciâmes Herzog pour son aide, tout en lui demandant de ne pas trop s'éloigner de Londres : nous pouvions avoir encore besoin de lui. Il repartit en sifflotant un air d'opéra, tout égayé par cet argent si facilement gagné.

Nous laissâmes à Banerjee le soin de retranscrire en langage normal les trois séries de partitions. Il y consacra un petit moment, enfermé dans son bureau, car les dossiers de lord Scriven et de Brown étaient autrement plus conséquents que celui du père de Lenora. Cette dernière tenait difficilement en place, et il ne fallait pas être un grand psychologue pour comprendre qu'elle était tendue comme une corde à piano.

« Vous devriez peut-être boire quelque chose pour vous calmer ? suggérai-je.

– Je vous remercie de vous inquiéter de mon bien-être, mais jusqu'à présent, je n'ai pas eu besoin de vous. Et j'entends bien continuer ainsi. »

Je soupirai :

« Êtes-vous toujours aussi aimable ?

– Tout dépend de la stupidité des propos que l'on m'inflige. »

M'aurait-elle giflé que l'impression n'aurait pas été différente. Et pourtant, malgré l'agressivité dont Lenora faisait preuve depuis notre deuxième rencontre, je ne pouvais m'empêcher d'admirer son aplomb et sa détermination. Qui, je dois le dire, accentuaient un peu plus encore son charme naturel. Consciente de son manque de tact, elle eut un geste vague et me dit :

« Écoutez, je suis désolée. Tout cela est terriblement difficile pour moi.

– Vous êtes pardonnée, mademoiselle.

– Parfait, alors. Et sinon, que faites-vous encore assis ?

– Excusez-moi ?

– Le petit remontant. Si cela tient toujours, ma foi, j'en veux bien un, finalement. »

Elle avait envie de sourire, je le sentais, mais elle n'en fit rien. Je repensai à sa bonne humeur et sa gentillesse, quand je l'avais interrogée au manoir, et mesurai à quel point elle avait dû prendre sur elle pour jouer ce rôle. J'allais lui servir un doigt de porto quand Banerjee nous apparut, l'air fatigué, un peu hagard, et surtout très inquiet. Un état, qui, chez lui, n'avait rien de naturel. Il nous réunit autour d'une table, et commença :

« Miss Buchan... Ce qui se trouve dans ces dossiers pourrait mettre Kreuger en grande difficulté, et cela est une excellente nouvelle. Toutefois, cela ne serait pas souhaitable dans l'immédiat.

– Comment cela ? protesta vivement Lenora. Nous n'avons pas fait tout cela pour rien ! Si j'ai le moyen de lui faire payer la mort de mon père, je ne vois pas ce qui devrait nous empêcher de...

– Je vous en prie, écoutez-moi, poursuivit Banerjee. Ces dossiers sont très compromettants, oui, mais pas suffisamment toutefois pour envoyer Kreuger derrière les barreaux avec certitude. Kreuger n'est pas un imbécile : il ne laisserait pas traîner quelque preuve que ce soit qui pût l'incriminer directement ; quand bien même ladite preuve serait codée de la manière que nous savons. Un avocat pourrait se servir des dossiers pour construire son accusation, bien sûr... mais le procès serait long, et demanderait la comparution d'innombrables témoins. Et pendant ce temps, Kreuger aurait le temps de finaliser son œuvre.

– Son œuvre ? Quelle œuvre ? » demandai-je.

Lenora semblait irritée par ces déclarations, aussi Banerjee ne perdit-il pas davantage de temps :

« Avez-vous entendu parler du *HMS Dreadnought* ?

– Bien sûr. Son inauguration devrait avoir lieu bientôt. Ce sera le fleuron de la Royal Navy. Le plus puissant navire de guerre au monde. Il devrait conférer à l'Angleterre une suprématie totale sur les eaux. Mais... Oh! Banerjee, non... Ne nous dites pas que...

– J'ai bien peur que si, Christopher. La société Kreuger Steel a contribué à sa construction, mais également celle de lord Scriven. D'après ce que je viens de lire dans les dossiers, Kreuger entend faire profiter une autre puissance étrangère de ce savoir-faire, et comptait associer lord Scriven à cette fuite. Ce sont avant tout les canons du *HMS Dreadnought*, plus que le navire lui-même, qui pourraient intéresser un ennemi. Et le secret de ces canons, c'est Scriven qui les avait. Pas Kreuger. »

J'intervins :

« De quel ennemi parle-t-on, au juste? Les Allemands? Les Russes? »

Banerjee secoua la tête.

« Non. Les Japonais. Le conflit qui vient de les opposer à la Russie les a laissés victorieux, mais je crois qu'ils sont conscients de la part de chance qu'il y a eu dans la défaite russe. Le Japon serait prêt à payer très cher pour posséder l'équivalent du *HMS Dreadnought*. »

Lenora bouillait d'impatience, et finit par laisser sortir la vapeur :

« Je vous vois venir, monsieur Banerjee... Vous voulez que je renonce à crier justice pour mon père au nom "d'intérêts plus grands", n'est-ce pas? Que je prenne le risque de laisser cet assassin s'en tirer à bon compte pour le prendre la main dans le sac?

– Vous formulez les choses de manière partiale, miss Buchan, mais il s'agit néanmoins des faits. Il me semble que c'est la chose juste à faire. »

Lenora se leva, et frappa la table de son poing.

«Et vous voulez que j'accepte cela? Pourquoi les Japonais n'auraient-ils pas les plans, après tout? Et de toutes les manières, si nous confrontons Kreuger dès aujourd'hui...»

J'intervins:

«Lenora, je crains que Banerjee n'ait raison. Si une transaction est en cours, Kreuger fera tout pour qu'elle ait lieu quand même avant que le procès ne débute. Il semble avoir beaucoup d'appuis à l'étranger, et il pourrait parfaitement prendre la fuite. Et pour répondre à votre première question: il n'est nullement souhaitable que les Japonais se trouvent une bonne raison d'attaquer les Russes. Un nouveau conflit dans cette région du monde pourrait avoir des répercussions jusqu'ici.»

Lenora répliqua d'un air pincé:

«Désolée, je n'ai pas vos connaissances en géopolitique, monsieur Carandini. Mais si vous savez cela, Kreuger le sait aussi. Et je ne vois pas quel intérêt il aurait à mettre la pagaille dans le monde entier. Je ne peux pas croire qu'il ne fasse tout cela que pour l'argent! Ce n'est tout de même pas un gamin qui s'amuse.»

Banerjee expira bruyamment:

«Miss Buchan, les voies des hommes sont impénétrables.»

Il était important de calmer le jeu, car je sentais qu'il ne serait plus possible de maîtriser la colère de Lenora bien longtemps.

«Banerjee, essayez d'être un peu synthétique. Tout cela devient compliqué et je comprends que Ms. Buchan perde patience.

– Bien, acquiesça Banerjee. Ces dossiers mettent en évidence que des sommes confortables ont été versées par Kreuger à Brown, alors au service de lord Scriven. La nature des transactions n'est pas explicite, mais elles semblent débuter après que lord Scriven avait refusé de collaborer plus étroitement avec Kreuger. Sans doute le défunt avait-il des soupçons quant à l'honnêteté de ce "partenaire".

191

– Le fait est que lord Scriven, pour autant qu'on le sache, s'est toujours montré plutôt droit, ajoutai-je. Je ne porte pas les fabricants d'armes dans mon cœur, et je ne pense pas qu'il s'agissait de quelqu'un de très sympathique…

– C'était un patriote à l'ancienne, oui, confirma Lenora. Le pays avant tout. Je ne l'aimais pas non plus, quand j'étais à son service, mais je peux vous le confirmer : il était tout sauf malhonnête. Continuez, monsieur Banerjee.

– Suite au refus du lord, donc, Kreuger a payé le propre secrétaire de Scriven, Brown, pour espionner son employeur et obtenir les renseignements qui risquaient de lui échapper. Le dossier comprend des éléments assez accablants à ce titre : reçus, ordres de mission à peine voilés… Cependant, rien n'indique que ce soit Brown qui ait tué lord Scriven. En fait, le plan n'était pas de l'éliminer, mais de se rapprocher de lui en séduisant sa fille. Afin, bien sûr, d'être placé au mieux pour lui soutirer des informations, consulter ses dossiers personnels, etc.

– Cette amourette était donc un leurre ? demandai-je.

– Sans nul doute. Brown décrit, étape par étape, ses progrès vis-à-vis de la pauvre Isobel. Et je puis vous affirmer qu'il n'y a rien de… romantique dans ces comptes-rendus. Il poursuivait un objectif, froidement.

– Dans ce cas, si Brown n'était qu'un espion qui jouait au joli cœur… qui a tué Scriven ?

– Eh bien ! une chose paraît se confirmer : il y a probablement un autre acteur dans toute cette affaire. Quelqu'un qui agit sans doute au-dessus de Kreuger. »

Je réfléchis :

« Au-dessus de Kreuger… Serait-ce ce Mordred ? Celui qui semble avoir adressé un ordre à Kreuger, en lettres sanglantes ? »

Banerjee acquiesça :

« On peut le penser, en tous les cas. À moins qu'il ne s'agisse d'une nouvelle manière de brouiller les pistes. Mais peut-être était-ce de ce Mordred et non pas de Kreuger que Brown avait si peur, au point de se suicider. »

Nous restâmes pensifs tous les trois. Puis, je commentai :

« Bien. On peut sans trop de mal imaginer que lord Scriven a été assassiné parce qu'il s'apprêtait à faire part de ses soupçons à propos de Kreuger aux autorités. Peut-être que si nous trouvons qui est ce Mordred, nous...

– Non, me coupa Banerjee. Cette question est en réalité très accessoire à ce stade de notre enquête. »

Je fronçai les sourcils :

« Accessoire ? Vous plaisantez ? C'est tout de même pour le découvrir que lord Thomas nous paie.

– Vous avez raison, Christopher, mais... Kreuger a désormais tout ce dont il a besoin pour renseigner l'ennemi.

– Comment cela ? Brown s'est tué. Kreuger n'a a priori plus aucun espion sur place. »

Banerjee secoua la tête.

« Je suis au regret de vous contredire, Christopher : Kreuger a dû trouver quelqu'un d'autre sur place.

– Quelqu'un d'autre ? Mais qui ?

– Je n'en ai pas la moindre idée. Sans doute quelqu'un de proche, mais qui peut savoir ? Un fait demeure : si j'en juge par les dernières pièces versées au dossier de lord Scriven, la mort de ce dernier semble avoir débloqué certaines choses. Désormais, Kreuger est en possession de l'ensemble des plans du *HMS Dreadnought*, y compris de tout ce qui concerne les canons. »

Lenora fit tinter la tasse vide qu'elle tenait à la main en la reposant dans sa soucoupe.

« Mais alors, commença-t-elle...

– J'anticipe votre question, miss Buchan. Je ne crois pas exubérant de penser que la remise des plans aura lieu très prochainement. »

Elle se leva, les yeux en feu.

«Quand, alors?

– Je l'ignore. Le dossier ne le mentionne pas, évidemment. Mais nous pouvons l'apprendre.

– Et comment? demandai-je avec lassitude.

– En prenant l'air, bien entendu.»

XIII

L'opéra du parc

Kreuger avait très certainement remarqué le vol dans ses archives. Mais pour autant que nous étions au courant, il ignorait que nous avions percé son code à jour – et comptait sans aucun doute sur son inviolabilité. Autrement dit, il y avait encore une chance pour qu'il continue à transmettre des instructions à ses commanditaires par les moyens habituels. Tout ce que nous avions à faire, c'était donc de passer nos journées dans le parc en face de Kreuger Steel, à guetter le moment où l'orgue de barbarie se mettrait à jouer des notes dissonantes. Il y aurait forcément sur place quelqu'un comme nous – mais du camp opposé – qui retranscrirait les notes en question pour les transmettre à un supérieur inconnu. Nous savions que les Japonais étaient derrière tout cela, mais leurs espions sur place l'étaient-ils aussi ? Peu importait : l'idée n'était pas de les arrêter, mais de les prendre de vitesse.

Quand Banerjee avait énoncé ce plan, deux objections m'étaient immédiatement venues. La première, c'était que le message que nous cherchions à intercepter avait peut-être déjà été transmis, et à ce compte-là, nous pouvions attendre mille ans sur un banc sans jamais rien apprendre. L'autre était d'ordre météorologique ; le climat ne s'était guère arrangé depuis notre sortie nocturne chez Kreuger Steel, et la seule idée de passer des jours et des jours à ruisseler dans le froid me procurait des maux de tête. Banerjee était persuadé que notre calvaire ne durerait pas longtemps : je choisis de le croire.

Il y avait, à vrai dire, un troisième problème : je n'entendais rien à la musique. Il allait donc falloir m'adjoindre les services d'Herzog, et je n'étais guère enchanté à l'idée de traiter encore avec ce fou. Lenora avait suggéré de me tenir compagnie ; Banerjee, de son côté, avait fourni un prétexte assez moyennement convaincant pour échapper à cette corvée. Sans doute, aurions-nous l'air moins suspects tous les deux.

Herzog devait se tenir à l'écart, toutefois assez en vue pour réagir à nos instructions silencieuses. Il avait consenti à ne pas porter son heaume. Le convaincre ne fut pas très facile, mais au prix de gros efforts, je parvins à lui faire admettre que son accoutrement n'était pas forcément compatible avec notre désir de discrétion. Nous décidâmes d'un compromis : il avait le droit d'emporter son heaume dans un sac, et de s'en affubler si le besoin s'en faisait impérieusement sentir.

Ainsi fut-il donc fait. Mais je dus rapidement me rendre à l'évidence : Banerjee n'avait décidément pas la même notion du temps que nous – et, en tous les cas, que moi. Pour lui, « pas longtemps » pouvait certainement évoquer plusieurs semaines. Ou pire encore. Et à mon grand désarroi, il s'écoula trois jours entiers sans que rien de notable ne se produisît. Trois jours mornes, puissamment ennuyeux, qui nous laissèrent, Lenora et moi, à demi-congelés. Et malgré mes efforts, ma compagne resta distante, un rien sur la défensive.

Nous faisions en sorte de ne pas être dans la ligne de mire du joueur d'orgue, même si son degré d'implication dans ces transactions demeurait quelque peu flou ; sans doute ne faisait-il en réalité que jouer les partitions qu'on lui remettait préalablement, en échange d'une somme motivante. Tout portait à croire qu'il ignorait transmettre des secrets d'État en tournant sa manivelle.

Tous les promeneurs, tous les amoureux enlacés (il y en avait, même en cette saison), sans la moindre exception, me semblaient suspects. Quant à Lenora, elle ne se montrait guère loquace. Il était déjà magnifique qu'elle ne se fût pas enfuie ; mais elle savait que tous ces efforts pouvaient nous amener à confondre Kreuger une bonne fois pour toutes. Si nous arrivions à le prendre la main dans le sac au moment de la transaction avec une puissance ennemie, c'en serait fini de lui, de son empire et de ses manigances.

À l'aube du quatrième jour, alors que je nageais encore dans les brumes de la nuit et que je luttais pour me réchauffer, Lenora me demanda :

« Toph, pourquoi faites-vous ça ? »

Curieusement, l'entendre m'appeler par mon diminutif me procura un vif plaisir. Ce sentiment passa très vite, comme un nuage chassé par le vent. Je répondis finalement :

« Pourquoi je fais quoi ?

– Vous savez... Vos enquêtes... Il y a forcément quelque chose qui vous motive, n'est-ce pas ? Est-ce la gloire ? L'argent ? »

Je secouai la tête.

« Ce n'est certainement pas l'argent. Même au temps où j'étais le reporter vedette du *Daily Star*, je n'avais rien de l'aisance d'un grand bourgeois, vous savez. Aujourd'hui, avec Banerjee, ce n'est pas différent. La gloire ? Peut-être. À mes débuts, sans doute. L'envie de briller, oui. Mais maintenant... Je ne sais pas. »

Elle leva les yeux au ciel :

« Ne me dites pas que c'est par souci de vérité ? De *la* Vérité, avec un V majuscule ?

– Et pourquoi pas ?

– Voyez-vous, Toph, je ne sais pas si la vérité est toujours bonne à savoir. Je suis même convaincue du contraire. Je ne vous pensais pas aussi naïf. »

Piqué au vif, je répliquai :

« Il me semble pourtant que vous aussi, vous la cherchiez, cette vérité. C'est même pour cela que nous nous sommes rencontrés.

– C'est vrai. Mais pour le moment, elle ne m'a pas apporté la paix que j'espérais. »

Elle demeura silencieuse, puis sortit un étui à cigarettes de sa poche. Elle en alluma une avec une grâce de déesse grecque (même si je ne connaissais pas personnellement de déesse grecque, c'est l'idée que je m'en faisais).

« Changer le monde, dis-je.

– Pardon ?

– Une fois sur dix, peut-être moins, dans ma carrière précédente... j'ai eu l'impression de changer le monde. Et je crois qu'avec Banerjee, je peux y arriver encore. Ce n'est pas une question de vérité, au fond. Ni même de justice. C'est une question de... sourire. »

Elle secoua la tête :

« Je ne comprends pas ce que vous dites.

– Bien souvent, je n'ai fait que dévoiler des scandales. Il y en a eu, il y en aura encore. Ce n'est rien : cela fait du bruit, et c'est tout. Mais il m'est aussi arrivé de rendre le sourire à des gens. Des gens qui pensaient ne plus y avoir droit. »

J'hésitai, avant d'ajouter :

« J'aimerais bien vous rendre le vôtre. »

Elle me regarda un long moment, alors que ses petites boucles rousses ondulaient sous la brise. Puis, elle détourna les yeux et aspira une bouffée de fumée qu'elle relâcha immédiatement. Ses doigts gantés s'agitèrent à la surface du banc, puis elle se décida à dire :

« C'est gentil à vous. Je ne sais pas quoi vous dire d'autre. Vous êtes un gentil garçon, Christopher. »

Je ne savais comment le prendre.

« Et que cache ce compliment ? Quand on dit à quelqu'un qu'il est gentil, c'est la plupart du temps parce que l'on n'a pas envie de s'étendre sur le reste. »

Elle fit tomber quelques cendres.

« Toph, vous vous méprenez.

– À quel propos ? »

Mon cœur battait fort dans ma poitrine. Encore ce nuage ! Mais le vent, cette fois, avait du mal à le pousser.

« À propos de moi. Je crois. Je pense que vous me trouvez courageuse, déterminée, et sans doute très mystérieuse. Je ne suis rien de tout cela. Je ne suis que triste. Tout ce que vous croyez discerner en moi, c'est la conséquence de cette tristesse. Et quand quelqu'un de triste vous dit que vous êtes gentil... prenez-le sans arrière-pensée. Aucune.

– Lenora, vous savez, je... »

Je n'eus pas le loisir de finir ma phrase : l'orgue venait de commencer à jouer, nous ramenant à la raison de notre présence. Et les notes atroces qui s'égrenaient, en insulte à tous les principes d'harmonie, constituaient probablement le message que nous guettions depuis plusieurs jours.

Pris de court, je cherchai Herzog des yeux. Il était bien là, à son poste... À un détail près toutefois : le gredin s'était endormi. Je pouvais le voir d'ici. Que diable avait-il versé dans son café du matin ! Je le maudis entre mes dents, tout en cherchant comment nous tirer de ce mauvais pas.

« Mon dieu, Herzog... gémit Lenora qui, à son tour, venait de prendre conscience de la situation. Toph, il faudrait que...

– J'ignore ce qu'il est prudent de faire, la coupai-je. Nos ennemis se trouvent dans ce parc. Nous en sommes quasiment sûrs. Mais nous ne savons pas à quoi ils ressemblent, et si nous leur mettons la puce à l'oreille, nous reviendrons à notre point de départ.

– De toutes les manières, si Herzog dormait pendant que la musique a été jouée, nous ne serons pas plus avancés.

– Vous avez raison... Autant ne pas prendre trop de gants. »

Je me levai et d'un pas décidé, me dirigeai vers le banc d'Herzog. En arrivant à sa hauteur, je m'exclamai :

« Hey, c'est bien toi, mon vieux ? Je me disais bien ! Qu'est-ce que tu fais par ici ? »

Herzog ouvrit un œil, tordit la bouche, et devint aussi rouge qu'un piment en comprenant ce qui venait de se passer. Je ne le laissai pas parler et m'assis à côté de lui. Une claque dans le dos plus loin, je rapprochai mon visage du sien et à voix basse, je fis :

« Herzog, espèce de fou ! Vous n'aviez tout de même pas grand-chose à faire si ce n'est garder vos yeux et vos oreilles ouverts ! Tout est fichu par votre faute.

– Oh là, oh là ! calmez-vous, jeune homme. Je n'aime pas trop qu'on me secoue comme ça. Ça peut me rendre violent. »

Je pris sur moi pour ne pas lui mettre mon poing dans les gencives.

« Vous n'aimez pas qu'on vous bouscule ? Mais vous n'avez encore rien vu, mon ami. De mon côté, je n'aime pas qu'on se moque de moi. Vous deviez écouter l'orgue ! Et vous vous êtes endormi comme... »

Je reculai en me bouchant le nez.

« Oh ! Herzog, vous sentez l'alcool de bon matin. »

Il haussa les épaules.

« Je n'avais pas eu de rentrées substantielles depuis un petit moment, alors j'en ai profité, dit-il avec le ton d'un enfant pris en faute. Ça faisait longtemps, croyez-moi.

– Je me fiche de vos habitudes de boisson, Herzog. Mais en attendant, vous n'imaginez pas ce que votre désinvolture va nous... »

Il leva la main d'un geste autoritaire ; je me tus, tout en restant sur la défensive.

« Laissez-moi un moment...

– Pour faire quoi ? grognai-je.

– Attendez, vous verrez. »

Herzog ferma les yeux, et s'il ne les plissait pas avec une telle intensité, j'aurais pu croire qu'il s'était rendormi. Finalement, après une bonne minute de silence, il me dit :

« Je vous avais prévenu. »

À ces mots, il ouvrit son sac et se coiffa du heaume. Je sentis mes dents grincer, et excédé au dernier degré, je lançai :

« Vous croyez vraiment que...

– Taisez-vous. Sinon, vous n'aurez rien. »

Je n'osais pas regarder autour de moi. L'ennemi, s'il était encore dans le parc, n'avait pas pu manquer cette scène, et jeter des coups d'œil inquiets n'aurait rien arrangé.

Au bout de cinq minutes, Herzog ôta le casque, le reposa près de lui, et me dit :

« C'est bon.

– C'est bon ? De quoi parlez-vous ? »

Il soupira d'un air excédé.

« Votre musique. Je l'ai, ça y est. Dans ma tête.

– Je vous demande pardon ? Vous dormiez quand l'orgue jouait. Enfin, quand il a joué la partie qui nous intéresse.

– Je sais, mais ce n'est pas un souci. Je l'ai entendue, dans mon demi-sommeil.

– Mais vous n'y faisiez pas attention !

– C'est vrai, mais voyez-vous, mon cher, vous omettez un détail : je suis peut-être un escroc, mais je suis avant tout un musicien exceptionnel. Il n'y a pas meilleur chef d'orchestre que moi. Croyez-moi : votre mélodie, je l'ai dans la tête. »

Sceptique, je sortis un carnet et un crayon de ma poche, et lui tendis.

Il s'en empara avec une moue ironique, et comme s'il était possédé, il se mit à noircir le papier de notes de musique. Finalement, il me rendit le tout avec un air blasé.

« Puis-je vraiment faire confiance à votre transcription ? » m'inquiétai-je.

Il tapota sa tempe avec son index. Un bref écho métallique s'éleva du heaume.

« Toute la musique qui rentre là-dedans, elle y reste. Ayez un peu foi en votre prochain, Carandini. Votre boulot vous a rendu méfiant et un rien aigri. C'est dommage, à votre jeune âge.

– Je ferai sans vos commentaires, si cela ne vous dérange pas. Et vous m'excuserez si je ne vous paie pas avant d'avoir vérifié que ces notes forment bien quelque chose de logique. »

Il en eut l'air peiné.

« Soit. Faites comme vous voudrez. Je rentre chez moi, cette matinée m'a épuisé.

– Mon pauvre, fis-je d'un ton faussement complaisant. Alors je ne vous retiens pas. Vous aurez vite de nos nouvelles, bonnes ou mauvaises. »

Il se contenta de me sourire d'un air narquois, et s'en alla en sifflotant.

Je fis signe à Lenora de me rejoindre, et nous rentrâmes aussi vite que possible à Portobello Road.

*

Aussi invraisemblable que cela pût me sembler, Herzog avait réussi.

C'est en possession d'un message parfaitement clair que Banerjee sortit de son bureau, après quelques minutes à le retranscrire. Mais son visage n'exprimait certainement pas la satisfaction, le plaisir de la victoire ou quoi que ce soit de ce genre. Il était même plus grave qu'à l'accoutumée, ce qui n'était pas peu dire.

« Le temps nous est compté, commença-t-il sans préliminaires.

– Mettez-nous au parfum sans faire de mystères, Banerjee. Que se passe-t-il ?

– Les "plans" – on peut supposer qu'il s'agit de ceux du *HMS Dreadnought* – vont être remis aux commanditaires étrangers demain. Et c'est Kreuger lui-même qui s'en chargera. »

Je bondis :

« Demain ? Mais où ?

– Dans le train de 16 h 15, au départ de Paddington, à destination d'Édimbourg. "Après la première gare", stipule le message.

– Édimbourg, en Écosse... Pourquoi ? s'étonna Lenora. Hum, mais après tout, c'est une ville portuaire. Si quelqu'un doit s'enfuir pour le continent sans risquer d'être coincé dans un train, ce n'est pas une mauvaise idée. Il sera assez facile pour la personne qui a récupéré les plans d'embarquer pour la Norvège ou le Danemark.

– Si les bénéficiaires sont bien les Japonais, le nord de l'Europe restera loin de chez eux, fis-je observer.

– De toutes les manières, tout est loin du Japon, de là où nous sommes, vous ne croyez pas ?

– C'est sûr, admis-je. Cependant, je doute que la personne à qui les plans seront remis soit japonaise : cela attirerait trop l'attention. Ce sera probablement un Européen à leur solde. Mais peu importe, nous verrons. Au fait, j'y songe... Pourquoi prendre le risque de remettre ces documents sans passer par la routine habituelle ? L'orgue, le parc... »

Lenora m'interrompit :

« Réfléchissez un instant, Christopher. L'orgue ne transmettait jamais de messages trop longs. C'était sans doute suffisant la plupart du temps : des ordres boursiers, des confirmations d'accords... Mais comment voulez-vous transcrire en notes de musique le *plan* d'un navire de guerre ?

– Vous avez raison, admis-je, un peu vexé. Et du reste, je suppose que Kreuger ne peut pas prendre le risque de confier cette tâche à qui que ce soit maintenant qu'Atherton, son homme de confiance, est sous les verrous. Bien raisonné. »

Banerjee nous fit signe d'observer le silence et déclara :

« Lenora, je ne pense pas que vous devriez venir avec nous.

– Et pourquoi ?

– Il y a de fortes chances pour que tout ceci se termine par une confrontation physique. Vous avez démontré votre discrétion, votre intelligence et votre perspicacité. Toutefois, je ne crois pas utile de vous mettre si frontalement en danger. N'y voyez aucun mépris de ma part. Ni aucune condescendance liée à votre sexe. J'aurais les mêmes réserves si vous étiez un homme de constitution fragile. »

Lenora marqua son désaccord :

« Je vous ai aidés pour une bonne raison : je voulais avoir le plaisir de voir Kreuger se faire arrêter. Ce n'était pas demander grand-chose... Et vous voudriez que...

– C'est sans appel, je vous prie de ne pas compliquer les choses. Même en restant ici, vous serez aux premières loges à notre retour. Si tout se passe comme nous l'entendons, bien sûr.

– Bien sûr. C'est votre enquête. Votre satisfaction, et votre gloire.

– La recherche de la gloire n'est certainement pas ce qui m'anime, miss Buchan. Ni la gloire ni la vengeance. »

Il y avait dans les cheveux de Lenora un mouvement discret, comme si elle était coiffée de flammes. Elle tendit un doigt vers Banerjee et lui dit :

« Tout être humain agit pour quelque chose, monsieur Banerjee, et vous faites un peu trop d'efforts pour faire croire que ce n'est pas votre cas. Mais vous êtes comme tout le monde. Vous êtes un homme. Et je pense que vous avez, vous aussi, votre vanité ; et que quoi que vous en disiez, vous n'aimez pas qu'on interfère dans le cours des choses. Du moins, telles que vous les avez prévues. »

Banerjee avait l'air profondément navré par les propos de Lenora. Je le vis regarder de côté, en direction du sol, et se dandiner sur sa chaise. Il finit par lui répondre :

« Je suis vaniteux. Et égoïste. Mais tout ceci ne blesse que moi. Et si ma vanité et mon égoïsme peuvent protéger votre vie, je ne les chasserai pas. »

Lenora garda le silence. Puis, elle jeta au sol l'une des chaises qui se trouvaient à sa portée, et quitta le bureau. Je me levai pour la rattraper, mais Banerjee me retint par le poignet :

« Christopher, je vous en prie. Vous savez comme moi que ma décision est logique.

– Elle l'est, oui. Et c'est ce qui me perturbe le plus. Je ne trouve *jamais* vos idées logiques. Depuis que je vous connais, je nage dans l'illogisme, le mystique, voire le paranormal. Comprenez que je sois un peu étonné. Lenora ne vit que pour une chose : venger son père. Croyez-vous que l'écarter au dernier moment soit très charitable ? »

Il ferma les yeux un instant, et se pinça l'arête du nez.

« Christopher, vous savez comme moi ce qui est en jeu. La vérité, c'est que je crois Ms. Buchan trop impliquée émotionnellement dans cette affaire. Ne prenons pas le risque insensé de nous exposer... et de la mettre en danger. »

Je soupirai :

« Comme vous voudrez. Mais laissez-moi au moins la...

– Vous ferez ça plus tard, mon ami. »

Je levai un sourcil.

« Je ferai quoi ?

– Je ne sais pas où Ms. Buchan s'en est allée, mais elle ne court probablement aucun danger. Je pense que vous avez d'autres motivations pour la retrouver. Vous irez lui dire ce que vous avez à lui dire quand tout sera fini.

– Banerjee, je ne sais pas ce que vous imaginez, mais...

– Et vous, mon très cher ami... Qu'imaginez-vous que j'imagine ? »

Il avait prononcé ces paroles avec la bienveillance parfois agaçante qui le caractérisait. Je renonçai à lutter et dis :

« Bien, vous avez gagné, comme d'habitude. Toutefois, je me pose une question : pourquoi ne pas prévenir la police ? Je peux joindre Collins à tout moment, vous savez. Et...

– Croyez-vous que le superintendant Collins sera convaincu par notre récit, Christopher ? Des notes de musique jouées par un orgue qui donnent la clé d'un mystère à base de trahison industrielle. Je pense que nous perdrions notre temps.

– Fort bien, soupirai-je. J'imagine que vous avez un plan en tête ?

– Oui. Nous allons acheter des billets de train. »

Il se leva, et regarda par la fenêtre ; je sus que je n'en tirerai rien d'autre.

XIV

La dernière station

Il n'est pas vraiment d'heure où le calme règne, dans une gare de Londres. Mais l'horaire du Londres-Édimbourg rendait les choses plus invivables qu'à tout autre moment. Le centre-ville, tel un énorme poumon, expirait tous ces travailleurs qui avaient hanté ses rues et ses immeubles pendant la journée, et les chassait en périphérie. Parfois même bien au-delà des frontières de la capitale.

Banerjee et moi eûmes toutes les peines du monde à accéder au train, tant les quais étaient bondés. Toutefois, comme il s'agissait d'un train grande ligne, il était bien moins rempli que les autres. C'était toujours cela de pris.

Une fois que nous fûmes installés dans notre compartiment, je me mis à scruter le couloir, à l'affût d'une silhouette suspecte.

L'ampleur de la tâche me rebuta quelque peu : à quoi donc pouvait bien ressembler un espion à la solde du Japon ? Au moins connaissais-je le visage de Kreuger. Était-il déjà installé ? Allait-il passer sous notre nez ? J'avais du mal à cacher ma nervosité, et cela n'échappa pas à Banerjee.

« Christopher, pour votre bien, je crois qu'il serait préférable de vous détendre un peu. La transaction est supposée intervenir avant la première gare, je sais, mais nous avons un peu de temps devant nous.

– Facile à dire pour vous. La seule technique de relaxation connue des Anglais, c'est la bière. Ou la boxe. Par ailleurs, je tiens à vous rappeler que je suis à moitié italien. Ça n'arrange pas mon cas, question nervosité.

– Il n'y a pas de bière dans ce compartiment. Mais libre à vous de me boxer. »

Les incursions de Banerjee dans le domaine de l'humour étaient si rares que je n'étais jamais pleinement certain qu'il s'agît vraiment de plaisanteries. Je pris mon mal en patience en attendant le départ du train.

Nous roulions déjà depuis un petit quart d'heure lorsque Banerjee me dit :

« Vous ne mentionnez pas souvent vos origines italiennes, Christopher.

– C'est vrai, fis-je en haussant les épaules. Le devrais-je ?

– Vous avez un jour dit que vous "y connaissiez quelque chose" en matière de tradition. Nous parlions de confettis, je crois.

– Oh ! peut-être. Et alors ?

– J'en déduis que vous avez passé une partie de votre enfance en Italie. Peut-être juste quelques étés ? Si c'est le cas, je suis surpris que vous n'en parliez pas davantage. »

Je fis la moue.

« Vous n'avez pas tort. J'ai passé du temps en Italie. De ma naissance à mes six ans, en fait. Mais je n'adore pas repenser à cette période.

– Suis-je indiscret si je vous demande pourquoi ?

– Les souvenirs que j'en ai sont très beaux. Mais... »

Je m'arrêtai un instant, puis repris :

« Ce sont aussi les seuls moments que j'ai passés en compagnie de mes parents. Mon père était un officier de l'armée italienne. Ma mère, une jeune fille de bonne famille qui écrivait des poèmes. Je n'ai jamais su comment ils s'étaient rencontrés exactement, mais pour ce dont je me rappelle, ils s'aimaient follement. Hélas ! voyez-vous... ils ont disparu. Je me suis réveillé un matin dans notre belle maison du lac de Côme, et ils n'étaient plus là. Il n'y avait que nos employés de maison, qui me regardaient tous comme si j'avais été désigné comme l'objet de je ne sais quel maléfice. »

Banerjee ne me donnait pas l'impression d'être très attentif à mon récit, mais je savais désormais que cette apparente désinvolture n'était qu'une façade. Il contempla le bouton de sa manche gauche puis, sans relever la tête, me demanda :

« Que s'est-il passé ensuite ?

– Mes parents, où qu'ils aient disparu, avaient semble-t-il laissé des instructions. J'ai été envoyé ici, à Londres, chez la sœur de ma mère. Une femme adorable, un mari qui l'était plus encore. Mais ni elle ni personne n'a jamais levé le voile sur le mystère de cette disparition. De fait, je crois que les seules personnes à savoir, ce sont mes parents. S'ils sont encore en vie, bien entendu. »

Banerjee eut l'air désolé.

« Je suis navré pour vous, Christopher. Je sais à quel point tout cela doit être dur pour un Occidental. Pour la plupart des gens, d'ailleurs.

– Parce que vous, ça ne vous toucherait pas ?

– Je trouve que c'est en quelque sorte une chance que vous avez eue. »

Je m'étouffai :

« Une chance ? Vous plaisantez ?

– Nullement. Pour que le monde tienne en place, il faut du mouvement. Des métamorphoses. Or, quand on reste trop longtemps avec ses parents, on tend à les imiter. À reproduire ce qu'ils sont. Le monde s'approche alors de l'inertie. Vous avez eu très tôt la chance d'être vous-même, sans modèle à suivre. C'est grâce à vos semblables que nous progressons. »

Je me frappai le front de la paume de ma main.

« Une fois encore, si je ne vous connaissais pas, j'aurais des raisons de m'offusquer. Ah ! Banerjee, quel drôle de type vous êtes... »

Banerjee plissa les yeux, et murmura quelques paroles in-intelligibles dans une langue que je n'identifiai pas. Puis, il me demanda :

« Christopher... Je sais que l'heure tourne, et je sais aussi que vous êtes pressé de localiser Kreuger. Mais il y a quelque chose que j'aimerais faire avant, si cela ne vous ennuie pas.

– Je vous écoute.

– Nous avons ce compartiment pour nous. Rien ne nous empêche donc de nous livrer à une séance de rêve. »

Je bondis.

« Dans ce train ? Et quand bien même... Je n'ai pas l'impression que vous avez éprouvé la sensation habituelle. Aurais-je mal vu ?

– Nullement, mon ami. Ce que je vous propose revêt un caractère exceptionnel. Voyez-vous, j'ai le sentiment, depuis plusieurs jours, que quelque chose m'échappe. Quelque chose d'évident. Je m'en veux terriblement de ne pas le cerner. »

Je jetai un coup d'œil à la porte vitrée du compartiment ; elle était munie d'un rideau que nous pouvions tirer pour ne pas être gênés, et sur le plan pratique, rien ne s'opposait donc à cette séance. Quant à sa motivation, j'allais certainement en apprendre davantage dans les minutes à venir.

Sans que j'aie eu à donner mon assentiment, Banerjee s'allongea sur sa banquette, en face de moi, et ferma les yeux.

Tout en me demandant ce qu'un contrôleur trouverait à dire en nous surprenant dans cette configuration, je commençai à chanter les paroles rituelles. Après l'habituelle phase de silence, je vis les paupières de Banerjee s'agiter, puis ses lèvres trembler. Enfin, il prononça les premières paroles :

« Je me trouve dans une grande pièce humide, très sombre. Il n'y a qu'un petit vasistas. Une lucarne, plutôt. Il y a beaucoup d'objets entassés dans un coin. Je m'en approche : il semble que des toiles d'araignée les recouvrent en partie. Non, ce ne sont pas des toiles. Ou plutôt, ce n'en sont plus. Ce sont des chaînes. En métal. Très fines, et très brillantes. La curiosité est trop forte, je vais les retirer d'un geste de la main. »

Banerjee se tut, puis annonça :

« Je vois une caisse avec des jouets. C'est elle qui retient tout particulièrement mon attention. Je vais regarder à l'intérieur.

– Faites donc, ne pus-je m'empêcher de dire.

– Il s'y trouve un poupon. Non, plutôt une poupée. En porcelaine. Qui représente un garçonnet, si j'en juge à ses vêtements. Il y a aussi un pantin de bois. Je n'arrive pas bien à distinguer son visage. Est-ce un vieillard ? Peut-être, il m'est difficile de le dire avec certitude. Oh...

– Oui ?

– Je sens une présence. Pas dans cette pièce : dans cette maison. Où suis-je exactement, d'ailleurs ? Je vais tâcher de sortir de ce grenier. Je cherche la porte... Ah ! La voici. Voyons... La poignée tourne. Me voilà en haut d'un grand escalier en colimaçon.

– Et cette présence ?

– Je la sens toujours. Je suis en train de regarder vers le bas, en me penchant par-dessus la rambarde. Il y a un hall assez luxueux. Pavé de noir et de blanc. Et... Oh ! comme cela est étrange ! J'y vois à nouveau le pantin, mais il a la taille d'un homme. Mais ses mouvements sont bien ceux d'un pantin, indéniablement.

– Qui le manipule ?

– Les fils montent jusqu'à mon étage. Tiens...

– Oui ?

– La poupée est posée à mes pieds. Les fils du pantin sont reliés à ses mains. Qui s'agitent comme si elles étaient mues par un quelconque mécanisme. La poupée a tourné la tête vers moi.»

J'en avais des frissons.

«Et que fait-elle?

– Elle rit. De bon cœur.

– Vous êtes bien certain que le rire vient de la poupée?

– Pas avec certitude, mais c'est le ressenti que j'ai, oui. Le rire est d'ailleurs de plus en plus violent. Il emplit tout l'espace. C'est très effrayant.»

Banerjee n'était d'ordinaire jamais «terrifié» par ses rêves. L'impression devait donc être particulièrement forte. Et alors que je méditais sur la question, je vis Banerjee se raidir et porter la main à son flanc. Son visage s'était crispé dans une expression de douleur, et son front fut envahi par la sueur en quelques instants.

«Banerjee, qu'avez-vous? demandai-je, fou d'inquiétude.

– Faites-moi revenir», dit-il du bout des lèvres.

Je m'exécutai, en entamant le chant de retour. Notre précédente expérience s'était on ne peut plus mal terminée, aussi n'étais-je guère rassuré par le tour que prenaient les événements. Cette fois, cependant, tout se passa bien. Je vis Banerjee reprendre quelques couleurs, je sentis la chaleur à nouveau affluer en lui, et bientôt, il eut les yeux ouverts.

«Que s'est-il encore passé? m'enquis-je avec empressement.

– On a essayé de me tuer», répliqua calmement le détective en reprenant une position assise. Il se frotta le côté, pas loin du foie, et ajouta:

«Un coup de couteau. Mais dans cette forme de transe, ce genre de blessure peut causer de véritables lésions. Notre cerveau se fait facilement tromper, voyez-vous. Si on lui fait croire que le corps est mort, il peut s'emballer et tirer des conclusions hâtives. Et regrettables.

– Banerjee... Quand nous étions au manoir des Scriven, et que vous avez "rêvé"... Il me semble que vous avez également éprouvé une douleur. En tous les cas, il s'est passé quelque chose d'inhabituel. Est-ce que vous voyez de quoi je veux parler ? »

Il hocha la tête.

« Décidément, vous êtes un bien meilleur détective que je ne le suis moi-même. Oui, Christopher, j'ai déjà été attaqué durant un de mes rêves. À l'occasion que vous mentionnez. Je ne voulais pas vous alerter.

– Mais... ces "agressions oniriques", est-ce quelque chose de fréquent ? Je veux dire, pour les pratiquants de vos techniques...

– Non. C'est extrêmement rare, et cela signifie qu'un esprit particulièrement violent, dangereux et résigné m'a en quelque sorte, comment dirais-je... imprégné ? Comme un effluve de parfum dont on n'arrive pas à se débarrasser.

– Et cet effluve émanerait d'où ou plutôt, de qui ? Vous avez une idée, bien sûr ?

– Oui, comme je vous l'ai dit. Et je suis très triste de ne pas avoir compris plus tôt. Kreuger n'est décidément pas le plus grand danger qui nous guette.

– Je vous en prie, tempêtai-je en proie à l'impatience, éclairez-moi. »

Banerjee installa son regard dans le mien, puis commença, de sa voix la plus chaude :

« Christopher, les symboles sont on ne peut plus parlants, mais je n'étais pas dans l'état d'esprit propice à leur matérialisation, jusqu'à présent. Je vais tout vous expliquer, et ensuite, nous irons chercher Kreuger.

– Bien. Je boirai vos paroles comme du bon vin.

– Quand nous étions au manoir, j'ai négligé de m'intéresser comme je l'aurais dû à celui qui, au fond, demeure le véritable meurtrier : le chat. Or... »

Je n'entendis pas ses paroles suivantes, car mon regard venait d'être attiré par quelque chose, près de la porte du compartiment. J'en étais sûr, il y avait quelqu'un derrière la porte. Celle-ci venait de bouger imperceptiblement, comme si on l'avait ouverte de quelques millimètres, puis refermée. Je fis signe à Banerjee de se taire et me levai. Je perçus un bruissement d'étoffe, et au bruit du train se superposa celui de pas pressés. Une fois dans le couloir, j'avisai un homme, de dos, qui s'éloignait vers le wagon suivant. Sa démarche se voulait nonchalante, mais je la savais feinte. Peu importait : il ne pouvait pas nous échapper. J'invitai Banerjee à me rejoindre, et nous partîmes aux trousses de notre indiscret invité-surprise. Un léger changement d'allure le trahit : il savait que nous le suivions. J'accélérai, et c'est alors que de l'un des compartiments qui nous séparaient jaillit un contrôleur, comme un diable d'une boîte. Il se dressait désormais entre nous et notre espion, et à mon grand agacement, il nous demanda avec politesse :

« Ces gentlemen ont-ils leurs billets avec eux ?

– Je crois qu'ils sont dans notre compartiment, fis-je, dépité, tout en surveillant le fuyard que je voyais s'éloigner au-delà de l'épaule du contrôleur.

– Peut-être pourriez-vous y retourner en attendant ma venue ? suggéra l'employé du train. Je n'en ai plus que pour quelques minutes. »

Je ne savais que répondre ou faire : créer un esclandre était proscrit. Banerjee s'avança alors et dit :

« Nous venons de nous rendre compte qu'un ami de longue date se trouve dans le train, et nous allions à sa rencontre quand nous sommes tombés sur vous. Nous ne savons pas dans quel compartiment il se trouve, aussi voudrions-nous le rejoindre avant qu'il ne disparaisse. »

Le contrôleur sembla hésiter un petit moment, puis, sans doute convaincu de nous octroyer une largesse digne d'un roi, il nous dit :

« Bien, bien. Mais je vous prie de me présenter votre billet lors du prochain contrôle ou je serais obligé de...

– Nous n'y manquerons pas ! » fis-je en le bousculant presque.

Nous repartîmes de plus belle. Toutefois, l'homme avait repris de la distance et il nous fallut adopter un pas de course qui n'avait rien de très discret.

Nous traversâmes un wagon, puis un autre. Une dame âgée, courbée au-dessus de sa canne, choisit cet instant pour sortir de son compartiment. Je la maudis intérieurement, mais elle me dégagea le passage plus vite que je ne l'aurais craint ; j'eus l'impression de sentir son regard dans le creux de ma nuque pendant encore un long moment.

Petit à petit, nous rattrapions de la distance. Le moment arrivait où nous allions pouvoir nous expliquer avec l'individu. Il entra dans un nouveau wagon, et nous lui emboîtâmes le pas avec détermination.

Mais nous étions loin de nous attendre à ce que nous découvrîmes dès la porte franchie.

Ce wagon n'était pas conçu comme les précédents, qui comportaient un couloir étroit longeant une enfilade de compartiments. Au lieu de cela, il consistait en un grand espace aéré, avec quelques banquettes éparpillées sur la longueur, à la manière d'un wagon-restaurant chic. Cela devait en être un lors d'un précédent voyage, d'ailleurs, mais pour l'heure, il ressemblait à s'y méprendre à un salon bourgeois. Notre espion alla s'assoir dans un coin, en nous regardant avec malice. Il avait un visage allongé aux traits marqués, au milieu desquels flottaient deux yeux d'un bleu arctique. Sa bouche lippue formait un rictus condescendant : je le détestai immédiatement.

Mais il n'était toutefois pas seul dans le wagon. Un peu plus loin, assis sur une banquette à deux places, un autre individu nous tournait le dos. Je reconnus sans erreur possible ces épaules de joueur de rugby, et ces cheveux que j'avais longtemps crus blancs alors qu'ils étaient, en réalité, d'un blond argenté.

C'était Kreuger.

Après un instant, il se leva et nous fit face. Tout, chez cet homme, était une déclinaison du principe même de puissance. Il se dégageait de lui une impression de force saisissante. Pas seulement physique, du reste : quand on le voyait, il semblait inconcevable que cet individu pût se trouver dans une quelconque difficulté. Être près de lui, c'était comme se trouver au pied d'une montagne en attendant l'avalanche. Il me scruta à travers le lorgnon cerclé d'or que je lui connaissais bien, et nous salua d'un signe de tête. Puis, il croisa les bras dans le dos et après être demeuré silencieux, il se décida à dire :

« Christopher Carandini... Si je m'attendais à vous revoir. J'imagine que la personne qui vous accompagne est le fameux Arjuna Banerjee ? Le "mage" ? »

Banerjee ne pouvait pas laisser passer une inexactitude pareille :

« Je vous demande pardon, monsieur Kreuger. J'existe. Je suis devant vous. Les mages, eux, n'existent pas. »

Kreuger acquiesça, puis toussota bruyamment. Peu après, le train ralentit, et les lumières d'un quai vinrent danser aux fenêtres. Kreuger lança un juron.

« Désolé de gâcher votre petite fête, Kreuger, lançai-je.

– Vous ne gâchez rien du tout, mon pauvre ami. Vous vous donnez bien trop d'importance. Comme toujours. »

Je ne pouvais pas lui donner tort : nous venions de nous jeter, stupidement, dans la gueule du loup.

Le train était désormais à l'arrêt, et la tension dans le wagon monta d'un cran. Personne n'osait dire quoi que ce soit, comme si la moindre parole risquait de mettre le feu aux poudres. On sentit de l'agitation sur le quai, puis dans les wagons adjacents. La porte de communication s'ouvrit alors et un nouveau personnage, chauve et sec comme un coup de trique, fit son entrée. À en croire les gouttes de sueur qui perlaient sur son crâne luisant, il n'était pas plus à son aise que nous. J'en déduisis sans mal qu'il s'agissait de l'homme à qui les plans devaient être remis.

« Kreuger ? Qui sont ces hommes ? demanda-t-il avec une pointe d'accent slave. Était-il prévu que...

– Ne faites pas attention à eux, mon bon Benedek. Ils n'existeront bientôt plus. »

Toujours nerveux, le nommé Benedek croisa les bras en tremblant presque.

« Parfait, fit-il... Alors pourquoi perdre du temps, n'est-ce pas ? Où sont les plans ?

– Wilbur, commanda Kreuger. Servez le monsieur. »

L'homme de main de Kreuger se leva à ces mots, et remit à Benedek un étui de violon. Benedek fit jouer le fermoir, regarda un instant à l'intérieur, puis déclara :

« Bien. Tout m'a l'air d'être là. Mais pardonnez-moi si je prends un peu de temps pour vérifier plus avant.

– Vous perdez votre temps, mais faites comme bon vous semble. »

Après quoi, Kreuger s'intéressa à nouveau à notre présence :

« Si vous êtes là, commença-t-il, j'imagine que c'est en connaissance de cause. Il n'y a donc nul besoin d'être hypocrite, n'est-ce pas ? De fait, je préfère vous avertir d'une chose : vous ne sortirez pas vivants de ce wagon. Je ne peux vous laisser vivre, compte tenu de ce que vous savez. Et je ne crois pas que l'un comme l'autre puissiez être corrompus, n'est-ce pas ? Alors autant ne pas perdre de temps. Wilbur, voulez-vous... »

L'homme qui nous avait épiés sortit un revolver de sa veste, et enroula le canon dans un linge qui traînait près de lui ; les coups de feu seraient ainsi étouffés, si tant est que quelqu'un les remarque au milieu du vacarme de la mécanique.

« Attendez ! criai-je.

– Oh ! monsieur Carandini, soyez *fair-play* ! Il était absolument stupide de vous lancer à mes trousses de la sorte. Qu'espériez-vous ? Je sais que vous travaillez pour ce petit blanc-bec de lord Thomas, encore tout gorgé de l'espoir de reprendre le flambeau de son père. C'est à cause de vous que Brown est mort, hélas ! Il n'était pas très malin, mais il m'était utile. Enfin... Maintenant, la messe est dite. J'ai loué ces deux wagons. Et, oui, j'aime mon petit confort quand je voyage. Ce wagon est remarquablement douillet, mais le suivant, figurez-vous, sert d'ordinaire à entreposer des bagages, et parfois des marchandises. Et il dispose d'une porte qui se manœuvre de l'intérieur à l'aide de cette clé. »

Il nous montra, fièrement, un instrument en laiton sorti de la poche de son veston.

« Tout de même, insistai-je... Si vous devez vraiment nous tuer, ne me laissez pas mourir idiot. Je veux juste savoir une chose : pourquoi ? Vous êtes millionnaire : allez-vous vraiment être plus heureux quand les Japonais vous auront payé ce qu'ils vous doivent ? Je vous en prie, ne me dites pas que vous avez des dettes de jeu, ou une maîtresse à entretenir.

– J'ai les deux, en réalité, répondit Kreuger sur le ton de la confidence. Mais rien qui ne pose vraiment problème. »

Alors, Banerjee intervint :

« C'est la peur.

– Pardon ? fit Kreuger comme s'il était un lion dont on venait de tirer la queue.

– Vous avez peur, monsieur Kreuger. La peur se sent, se voit, s'entend. Je pourrais presque la toucher. Vous avez peur. De quelque chose... ou plutôt, de quelqu'un. D'ordinaire, les hommes agissent pour le pouvoir ou parce qu'ils ont peur. Les deux se rejoignent souvent, bien sûr. Rares sont ceux qui agissent par amour. »

Kreuger rougit de colère et tempêta :

« Et vous, monsieur Banerjee ? Qu'est-ce qui vous a fait quitter votre beau pays ? J'en sais plus sur vous que vous ne le pensez. »

Imperturbable, Banerjee rétorqua :

« Peu importe ce que vous croyez savoir. Il n'empêche : vous craignez quelqu'un, monsieur Kreuger. Et c'est à cause de lui que nous sommes réunis ici. À cause de *Mordred*. »

Ce nom eut l'effet d'une détonation sur Kreuger, qui recula d'un pas, et rougit comme s'il suffoquait.

« Ne pensez-vous pas qu'au lieu de nous tuer, vous pourriez profiter de notre aide ? » poursuivit Banerjee.

Toujours désarçonné en apparence, Kreuger grogna. Puis, comme si ces mots lui échappaient, il dit :

« Personne ne peut rien contre lui... Ni vous ni moi. »

Il se reprit alors, et le nommé Wilbur braqua son arme sur nous. Kreuger lui fit signe de nous guider jusqu'au wagon suivant. Benedek, quant à lui, s'inquiétait :

« Kreuger, êtes-vous bien sûr de ne pas commettre une erreur en disposant d'eux dans ce train ? Nous ne pouvons pas prendre le risque de...

– Rassurez-vous, le coupa l'industriel. Nous sommes tranquilles ici. Une balle pour chacun, et un billet express pour l'extérieur. Nous attendrons encore un tout petit peu que le paysage soit dégagé. Le train ne va guère tarder à passer sur un pont. Ce sera le moment pour nos amis de nous quitter, et je vous garantis que leurs corps ne seront jamais retrouvés

– ou alors, en un temps où ni vous ni moi n'aurons à nous en soucier.

– Tout de même, Kreuger... J'apprends à l'instant que vous travaillez avec quelqu'un que je ne connais pas ? Qui est cette personne que vous craignez ? Mes partenaires japonais n'apprécient pas les surprises. Surtout en de pareilles occasions. L'heure n'est pas... »

Kreuger eut un geste plein de morgue, qui cloua le bec à son interlocuteur. Ce dernier n'insista pas. Wilbur, l'homme de main, nous fit presser en agitant le canon de son arme, toujours emmitouflé dans un linge. Nous n'avions, pour le moment, pas d'autre choix que de lui obéir.

Le wagon suivant était quasiment vide ; seules quelques malles de voyage s'y trouvaient, ainsi que la caisse d'un chien, qui poussa un gémissement en nous voyant entrer. Kreuger se dirigea alors vers la porte donnant sur l'extérieur, et comme il l'avait annoncé, l'ouvrit à l'aide de son outil. Le vacarme des pistons et des bielles emplit la pièce en quelques instants, et un vent âcre nous fouetta le visage.

« Votre voyage s'achève ici, messieurs, annonça froidement Kreuger. J'aurais dû m'occuper de vous bien avant, mais il n'est jamais trop tard pour bien faire, n'est-ce pas ? Atherton avait ses petits défauts, mais il m'était précieux. Vous allez aussi payer pour ce que vous lui avez fait. »

Banerjee s'avança vers Kreuger, paume tendue vers l'avant. Il allait dire quelque chose, mais n'en eut pas le loisir. D'un simple mouvement des yeux, Kreuger transmit un ordre à son factotum, qui fit feu sur Banerjee sans y réfléchir une seule seconde. Je me raidis, horrifié. Banerjee tomba à genoux sans un cri, la main crispée autour de son épaule qui ruisselait déjà de sang. On avait à peine entendu la détonation, étouffée par l'étoffe enroulée autour de l'arme. Celle-ci, cependant, avait commencé à brûler. Wilbur ne semblait pas avoir pensé à cet effet secondaire, et hésita quelques instants quant à la conduite à tenir. Ce petit moment de trouble n'avait pas échappé à Banerjee ; en un clignement d'yeux, il fut à nouveau debout, et n'écoutant plus la douleur, il se jeta sur Wilbur.

Kreuger lâcha un juron mais, conscient du danger qui pesait désormais sur lui, il ne me laissa pas le loisir de riposter à mon tour ou de prêter main-forte à Banerjee. Il tira à son tour un minuscule pistolet de sa veste, et déclara :

« Il ne tire qu'un coup, mais croyez-moi, je n'aurai pas besoin de plus. Restez à votre place, monsieur Carandini. »

Impuissant, j'assistai donc à la lutte qui opposait Banerjee au sinistre Wilbur. Mon employeur était aussi vif qu'un serpent, en temps ordinaire ; mais il perdait beaucoup de sang et Wilbur le dépassait d'une bonne tête. L'issue de cet affrontement m'apparaissait d'autant plus incertaine que les deux hommes se trouvaient désormais tout près de l'ouverture : il ne faisait aucun doute que Wilbur comptait se débarrasser de Banerjee en le faisant passer par-dessus bord. Je jetai un coup d'œil à l'arme encore fumante qui gisait à quelques mètres de moi. Mais Kreuger surveillait le moindre mouvement de ma part, et il m'abattrait avant que j'aie pu parcourir la moitié de la distance. Je me contentai donc d'espérer ; mais que se passerait-il si Banerjee venait à bout de Wilbur ? Kreuger n'avait qu'un coup à tirer, mais qui choisirait-il d'abattre ? La perspective de mourir dans ce train, injustement, piteusement, me donna des nausées. Je tins bon.

Désormais, Banerjee se trouvait dos au vide. Son bras blessé continuait à saigner abondamment, et je sentais, à ses gestes qui devenaient moins précis, que ses forces l'abandonnaient. Alors, il se saisit du visage de Wilbur et s'y crispa comme s'il essayait de briser une coquille. Wilbur grogna, et se figea. Mais deux secondes plus tard à peine, il parut se ressaisir et dans un ultime effort, se dégagea de l'étreinte et propulsa Banerjee à l'extérieur. L'horreur de cette vision me déchira le cœur et l'esprit, me réduisit les os en poudre. Je voulus croire que je rêvais ; avec Banerjee, pourquoi n'aurait-ce pas été un rêve, justement ? Mais non. J'étais là, dans ce wagon, bien éveillé.

C'était fini.

Mon patron, l'un des hommes les plus brillants et humains que j'avais rencontrés, venait de périr sous les assauts de cette brute. Au moment même où, comme Kreuger l'avait annoncé, nous passions au-dessus d'un bras d'eau. J'aurais pu hurler, pleurer... Mais la vérité est que je n'avais plus assez de forces pour quoi que ce soit. Pas même pour sauver ma propre vie. Laquelle risquait, elle aussi, de s'achever dans la minute. Je vis Wilbur ramasser son arme, et Kreuger lui ordonna calmement :

« Allez-y, mon brave. Une balle – dans le cœur, cette fois – et un petit séjour par dessus bord. »

Wilbur me mit en joue, mais ne fit pas feu.

« Eh bien ! s'impatienta Kreuger ? Qu'attendez-vous au juste ? Tuez-le ! »

Wilbur demeura figé, et me regarda d'une manière curieuse, comme si, soudain, ma situation lui inspirait une quelconque forme de compassion.

« Nous en reparlerons ! rugit Kreuger. Je vais donc faire le travail moi-même. »

Il me mit en joue et me demanda :

« Une dernière phrase ?

– Si j'en avais une, répondis-je, ce n'est pas à vous que je la destinerais. Allez au diable ! »

Kreuger eut l'air déçu :

« J'espérais quelque chose de plus percutant, pour un journaliste de votre trempe. Enfin ! Qui peut savoir comment il réagirait dans un cas comme celui-ci ? Adieu, cher adversaire. Vous avez été brillant et astucieux. Je le suis plus encore. »

Je fermai les yeux ; je refusai de voir la mort en face. Entendrai-je seulement le coup de feu ? Ou tout serait-il terminé avant que je ne réalise quoi que ce soit ?

Je pris une profonde inspiration, et la détonation retentit.

Mais je n'éprouvai aucune douleur. Et je ne me sentis pas non plus basculer dans un autre monde. J'ouvris un œil ; Kreuger était toujours là, à me viser, mais il avait tourné la tête ailleurs. Benedek s'était recroquevillé dans un coin du wagon, et Wilbur ne faisait plus un geste. L'odeur ne trompait pas, un coup venait bien d'être tiré. Toutefois, il ne provenait pas de l'arme de Kreuger : dans l'encadrement de la porte permettant aux deux wagons de communiquer se tenait un homme dont je n'aurais jamais pensé apprécier à ce point la présence.

Le superintendant Collins ! Que faisait-il là ? Peu importait : il était en train de me sauver la vie.

« Je vous conseille de lâcher votre arme, monsieur Kreuger, lança-t-il avec autorité. Et cela vaut aussi pour votre sbire, oui ? »

Wilbur posa son revolver à ses pieds, et Kreuger, bien que réticent, consentit finalement à obéir. Je remarquai alors que derrière Collins se tenait, outre deux autres agents, la dame âgée que j'avais croisée un peu plus tôt. Elle dépassa Collins et s'approcha de moi. Je réalisai ma méprise ; sous une perruque grise, il y avait les beaux yeux de Lenora qui m'observaient en pétillant.

« Que... Lenora ? Mais je ne comprends pas, balbutiai-je.

– J'ai pensé que je pouvais malgré tout vous servir à quelque chose. Et n'oubliez pas que moi aussi, j'avais rencontré le superintendant Collins.

– Mais bien sûr, m'exclamai-je. Pendant l'enquête après le suicide de Brown. Ah! Lenora, vous imaginez sans mal à quel point je suis heureux que vous n'ayez pas tenu compte des ordres de Banerjee. »

Prononcer ce nom me ramena à la réalité. J'étais sauvé, Collins et Lenora étaient là... Mais pourquoi Banerjee ne réapparaissait-il pas? L'idée était si insupportable que je lui en voulais presque de nous avoir abandonnés. Mais qu'importe ce que je pouvais penser: il était toujours mort.

Je me mordis les lèvres et, un peu éteint, dis:

« Collins, ne laissez pas ce type se jeter du train ou que sais-je encore. Il a beaucoup de choses à nous dire. »

Deux hommes vinrent saisir Kreuger par les bras. Collins se dirigea vers Benedek, et lui arracha des mains l'étui à violon qu'il protégeait comme s'il s'était agi d'un nouveau-né. Collins l'ouvrit, et en sortit une épaisse liasse de feuilles, tenues par une reliure où l'on pouvait lire *Symphonie n° 9*. Il les parcourut rapidement puis s'approcha de Kreuger, tellement près que leurs nez se touchaient presque. D'un ton glacial, il dit:

« Pouvez-vous me dire ce que ce monsieur faisait avec les plans du *HMS Dreadnought* dans cet étui à violon, oui? »

Kreuger ne répondit rien. Collins apostropha Benedek:

« Qui êtes-vous? Pour qui travaillez-vous? À qui alliez-vous remettre tout cela?

– Je... Je travaille pour M. Kreuger, mentit le crâne chauve. Il n'y a rien d'anormal à ce que...

– Regardez-moi attentivement, enchaîna Collins. Ça y est, oui? Bien. Est-ce que vous trouvez que j'ai la tête de quelqu'un dont on peut se moquer? Franchement: ai-je la tête d'un rigolo, oui?

– Je... je dirais que non, bredouilla Benedek.

– C'est ce que dit ma femme aussi. Ne vous moquez pas de moi, mon bonhomme, oui? Ces documents n'ont pas à se promener en train, je pense que nous sommes d'accord sur ce point ? Nous allons tirer tout cela au clair, croyez-moi. »

Il se retourna vers moi et demanda :

« Au fait, où est Banerjee ? »

À mon silence et ma mine décomposée, Collins et Lenora comprirent. Et la confirmation leur fut apportée par les taches de sang qui souillaient le plancher du wagon. Lenora étouffa un cri, et ses yeux s'embuèrent en un instant.

Wilbur, pendant tout ce temps, n'avait pas bougé d'un pouce, à demi hagard. Pour un peu, on en aurait presque oublié sa présence. Mais il ne tarda pas à être menotté, tout comme les deux autres.

« Vous aurez à répondre de tout cela, monsieur Kreuger. Et ne croyez pas que vos millions vous sauveront ! Foi de Collins, je m'engage à vous faire rendre gorge.

– Peu importe, ricana Kreuger. Je suis déjà mort.

– Que racontez-vous ? grinça Collins. »

J'intervins :

« Il semble que Kreuger ne soit pas le seul cerveau de l'affaire. Il y a quelqu'un qui le terrifie... au point de lui avoir fait perdre toute prudence. Banerjee semblait avoir compris de qui il pouvait bien s'agir. Hélas ! il n'a pas eu le temps de m'expliquer. »

Collins leva les bras au ciel

« Bah... Peu importe : je finirai moi aussi par obtenir la vérité. C'est mon métier, oui ? Il suffit de poser les bonnes questions... de la bonne manière !

– Espérons, fis-je, espérons. »

Il y eut un petit moment de confusion, après quoi Collins fit signe à ses hommes d'évacuer Kreuger et ses comparses. En passant devant moi, Kreuger, un sourire désespéré aux lèvres, me lâcha :

« Mordred... Il me tuera. Et il vous tuera aussi, monsieur Carandini. Vous ne lui échapperez pas.

– Vous raconterez vos salades à votre avocat, monsieur Kreuger. Allez, bougez donc !»

Ruben Kreuger, l'un des hommes les plus puissants d'Angleterre, s'éloigna la tête baissée, en traînant des pieds. Justice n'était pas encore faite ; mais on y était presque.

Avant de quitter le wagon, Collins me dit :

« Si vous m'aviez prévenu, je ne vous aurais pas cru, vous savez, oui ? Heureusement, il y avait Ms. Buchan. Elle a l'air d'être bien moins folle que vous deux. Elle a réussi à me convaincre de... vous donner un petit coup de main. C'est donc à elle que vous devez d'être en vie, aujourd'hui. Pas à moi, oui ?»

Il me laissa seul avec Lenora, après avoir annoncé qu'il débarquerait les prisonniers à la prochaine gare.

Lenora n'osait pas me regarder dans les yeux. Puis, après un moment, elle dit :

«Banerjee... Comment est-ce arrivé ?

– Il s'est pris une balle dans le bras. Après quoi le grand gars que vous avez vu, Wilbur, a réussi à le jeter hors du train. Nous étions sur un pont, pas très haut, mais... je ne vois pas comment Banerjee aurait pu survivre à la chute dans son état. Je crois qu'il va falloir admettre que nous l'avons perdu à jamais.

– Je suis désolée, Toph. Vraiment.»

Je soupirai.

«Ah ! ce qu'il va me manquer, nom d'un diable ! Je ne comprenais pas toujours ce qu'il disait, où il voulait en venir, mais je crois qu'il a changé ma vie bien plus profondément que je ne l'aurais pensé. Il m'a rendu l'estime de moi. J'espère que je saurai être digne du modèle qu'il a esquissé pour moi. Pour nous tous, d'ailleurs. »

Lenora tira un mouchoir de sa poche et essuya le coin de ses yeux.

« Qu'allez-vous faire, à présent ? me demanda-t-elle.

– Je ne sais pas trop. Kreuger est hors d'état de me nuire, et je suppose que je n'aurai aucun mal à retrouver un emploi de journaliste. Après tout, si j'étais devenu un paria, c'était à cause de lui ; maintenant, le paria, c'est lui. Et puis...

– Oui ?

– Peut-être que je pourrais songer à me poser un peu. À me marier ? Il serait grand temps, non ? La plupart de mes amis le sont.

– Oh... vraiment ? Bien... Vous m'enverrez un faire-part.

– Vous serez la première au courant. Croyez-moi. Mais le moment n'est pas encore venu. Il y a encore pas mal de choses à... régler. »

Elle prit ma main dans la sienne, et la tint ainsi quelques secondes. Puis, avec une délicatesse charmante, elle la laissa doucement retomber.

« Je suis très pressée d'en savoir plus, fit-elle. Ne me faites pas trop attendre.

– C'est promis », lui dis-je.

Nous décidâmes de quitter le funeste wagon. Mais au moment de passer la porte, je ne pus m'empêcher de regarder par-dessus mon épaule, en direction de cette ouverture béante qui avait happé Banerjee vers la mort. Mon cœur se serra ; mais il n'y avait plus rien que je pouvais faire.

J'allais devoir vivre avec ce vide.

XV

Mordred

« Lord Thomas vous attend », m'annonça sèchement Ms. Dundee en m'ouvrant la porte du manoir. Je la suivis à travers ce couloir et ces pièces désormais familières, jusqu'au petit salon qu'affectionnait le « nouveau » lord Scriven. Je m'y installai en l'attendant, et me perdis dans mes pensées.

Trois jours s'étaient écoulés depuis l'arrestation de Kreuger. C'est moi qui m'étais chargé d'avertir notre bienveillante Polly de la mort de Banerjee. Elle n'avait pas dit un mot, me regardant comme si j'étais devenu fou. Puis, toujours silencieuse, elle s'était mise à astiquer ses antiquités, de plus en plus vigoureusement, bientôt secouée par des hoquets de sanglots. Je n'ai jamais su quoi dire ou quoi faire dans des moments pareils ; alors, lâchement, je l'avais laissée seule avec sa peine.

Je repensais à cette scène une fois encore, un peu honteux, quand lord Thomas me rejoignit. En me voyant, il eut une expression de compassion et fut à deux doigts de me prendre dans ses bras. Noblesse oblige, se ravisant, il m'offrit une poignée de mains vigoureuse.

« Je suis absolument navré pour ce qui s'est passé, commença-t-il. Mais n'ayez crainte : je ferai tout ce qui est désormais en mon pouvoir pour que Kreuger ait la peine qu'il mérite. Sa trahison risque de lui valoir la corde. »

Je baissai les yeux.

« Lord Thomas, je constate que vous n'êtes pas au courant. Collins ne vous a pas fait prévenir ?

– Pardon ? Au courant de quoi ? J'ai là les journaux de ce matin, et...

– Kreuger est mort. C'est encore tout frais.»

Lors Thomas se décomposa :

«Mort ? Mais comment ? Se serait-il suicidé ?

– Non. Il a été poignardé dans sa cellule, on ne sait pas encore par qui. En plein jour.»

Le jeune lord se laissa retomber sur son fauteuil, anéanti.

«Mort... j'aurais tant voulu qu'il ait un procès, qui lui soit long et pénible. Après ce qu'il a fait à mon père... Et à vous, bien sûr.

– C'était mon vœu également.

– Et nous ne saurons jamais s'il y avait une autre personne derrière tout cela.

– Je suppose que cela n'a désormais plus grande importance», mentis-je.

Lord Thomas appela un serviteur et le pria de nous apporter une collation. Après quoi, il me dit :

«Christopher, je peux user de mon influence familiale pour vous trouver n'importe quel travail. Mais je vais être franc : j'aimerais beaucoup que vous travailliez pour moi. Je suis jeune. Je suis loin d'avoir fini mes études, je ne connais pas grand-chose à la vie, et je n'ai pour moi qu'une intelligence que je crois raisonnablement développée. Je vais avoir besoin de quelqu'un sur qui compter.»

Je m'inclinai.

«Vous me faites beaucoup d'honneur, lord Thomas. Pour dire les choses franchement, nous n'avons pas eu la même vie, c'est vrai, mais je ne suis pas beaucoup plus vieux que vous. Votre père avait certainement dans son entourage des personnes plus qualifiées que moi, qui seraient ravies de vous venir en aide.

– Une bande de vautours qui me parlent comme si j'étais un arriéré, maugréa lord Thomas.

– Je n'en doute pas, et sachez, une fois encore, que votre proposition me flatte énormément. Mais je ne peux y répondre favorablement pour le moment. Mon vrai métier est ailleurs. Et je compte bien l'exercer encore un peu. »

Le jeune homme eut un air déçu et résigné.

« Comme il vous plaira, Christopher. Mais promettez-moi d'y songer ?

– C'est promis, milord.

– Cela ne change rien à ma proposition ; je vous aiderai à réintégrer une rédaction.

– J'apprécie cela également. J'espère y parvenir sans faire appel à vous. »

On nous apporta à ce moment-là un plateau garni de mets que je jugeai plus ou moins comestibles – du moins à cette heure de la journée.

Je demandai :

« Dites-moi, milord, votre jeune frère Alistair est ici, n'est-ce pas ?

– Comment le savez-vous ? C'est vrai, il est là. Mais il était en pension il y a encore quelques jours. Il avait de petits problèmes de santé.

– J'ai... J'ai cru entendre sa voix en arrivant », répondis-je.

Je n'avais rien entendu du tout, en réalité, mais Thomas se contenta de ma réponse. J'ajoutai :

« Puis-je le voir ? J'aimerais lui demander quelque chose. S'il n'est pas trop souffrant, bien entendu.

– Je... oui, bien entendu, s'étonna lord Thomas. Mais le diable si je devine ce que vous pouvez bien lui vouloir !

– Oh ! rien. J'ai une simple question à lui poser, et j'aimerais être seul avec lui. Avec votre permission, bien entendu.

– C'est entendu. Je vais l'envoyer chercher. Quant à moi, je serai dans le bureau de mon père. Enfin, le *mien*, désormais :

je me demande dans combien de temps j'aurai l'impression de mériter ce titre, cette propriété...

– Le temps fera son œuvre, lord Thomas. Comme toujours.»

Je patientai pendant qu'un valet faisait descendre Alistair de sa chambre. Après quelques minutes, le garçon parut, blafard, l'air passablement fatigué. Malgré cela, il avait toujours ses bonnes joues rebondies et son air de gentil farceur. Il s'assit sur un fauteuil, les doigts croisés, et attendit la suite.

«Alistair, monsieur Carandini a quelques questions à te poser, expliqua lord Thomas. Je te laisse avec lui, si tu veux bien? Tu n'es pas trop fatigué, mon vieux?

– Non, Thomas, je vais mieux. Merci.»

Satisfait, lord Thomas et le valet quittèrent la pièce. J'attendis d'être sûr qu'ils étaient suffisamment loin, puis me rapprochai d'Alistair et pris mon courage à deux mains.

«Lord Thomas a dit que j'avais des questions à vous poser, mais en réalité, je n'en ai qu'une.

– Je vous écoute, monsieur, répondit timidement le garçonnet.

– Ma question est simple: qui êtes-vous?»

Le petit garçon me regarda avec étonnement. Mais je ne lus aucune peur dans ses yeux.

«Je ne comprends pas, monsieur.»

Debout devant Alistair, dos droit, je poursuivis:

«Il m'a fallu un petit moment pour comprendre le dernier rêve de Banerjee. Sans doute parce que l'explication qui me crevait les yeux me paraissait totalement insensée. Toutefois, je crois que je sais exactement, aujourd'hui, ce qu'il s'apprêtait à me dire.»

Le visage du garçonnet me sembla différent; la douceur, la candeur l'avaient totalement abandonné.

«Continuez, annonça-t-il d'une voix soudain très ferme.»

Combiné avec son timbre juvénile, cet ordre sonnait de bien désarmante manière.

« Avant de trouver la mort, Banerjee avait rêvé qu'il se trouvait dans une grande demeure. Comme celle-ci. Dans un grenier, au fond d'une malle, il trouvait un poupon ainsi qu'un pantin. Je passe le déroulement précis du rêve, mais à un moment, le poupon semble être celui qui manipule le pantin. Un pantin dont on a d'ailleurs pu évaluer l'âge : d'abord un vieillard, son apparence n'est jamais très clairement définie. »

Alistair se tortilla sur sa chaise :

« Bien, monsieur. Et que pensez-vous de ce rêve ? »

Sa voix, désormais, prenait des accents de défi.

« Il se trouve que j'avais relégué cette information dans un coin de mon cerveau. Mais le poupon portait les habits d'un garçonnet.

– Un garçonnet... comme moi ?

– Oui. Comme... vous. »

Je ne parvenais plus à me montrer familier, ou à faire preuve de cette condescendance involontaire qu'ont les adultes pour les plus jeunes qu'eux.

« J'aurais dû y penser plus tôt. La dernière chose que Banerjee m'ait dit, c'était à propos de votre chat, Cromwell. Sur le coup, je n'ai pas compris où il voulait en venir. Et puis, je me suis rappelé une chose : d'après lady Scriven, personne ne peut approcher cette pelote de griffes, en temps normal. À part feu lord Scriven. Mais vous, vous... vous l'avez attrapé sous mes yeux, comme s'il s'agissait d'une peluche. Et il y a aussi le fait que vous passez beaucoup de temps dans la serre. L'arme du crime, le poison, venait de là.

– C'est vrai, admit Alistair. Mais venez-en aux faits... »

J'appuyai les poings sur une petite table.

«Alistair, je crois que le rêve de Banerjee n'est pas bien difficile à interpréter. C'est VOUS qui tirez les ficelles. Depuis le début. C'est vous qui avez tué votre père adoptif.»

Le garçonnet sourit, et j'eus l'impression qu'on m'enfonçait une lame dans le cœur.

«C'est vrai, déclara-t-il avec un détachement terrifiant. C'est moi qui l'ai tué. Enfin : c'est moi qui ai équipé Cromwell du dispositif, dont M. Banerjee a très intelligemment compris le principe. Cromwell ne se serait jamais laissé faire avec quelqu'un d'autre.»

J'avais l'impression d'évoluer dans un cauchemar. Quand il se taisait, Alistair ressemblait à n'importe quel enfant de son âge ; les jambes en X, les doigts des mains croisés, il était désarmant de bonhommie, avec sa silhouette rondelette. Et pourtant, quand il s'exprimait, c'était avec le cynisme et les intonations d'un adulte. Et pas de ceux dont j'aimais la compagnie.

Nerveux, je me mis à faire les cent pas, sous la surveillance désinvolte du garçonnet.

«Cela fait trois jours que Kreuger a été arrêté, dis-je. Pendant ces trois jours, j'ai eu l'occasion de réfléchir à tout cela, et aussi de me renseigner un peu sur vous. Je me suis rendu à l'orphelinat dont lord Scriven vous a sorti. Le directeur était très embêté à l'idée de me parler, mais il m'a laissé consulter les archives. Je crois qu'au fond, il voulait, de tout son être, que j'y découvre la vérité. Lord Scriven n'était pas votre première victime, n'est-ce pas?

– Non.

– Vous avez tué vos véritables parents. L'enquête n'a jamais abouti, mais j'ai lu un échange entre le directeur de l'orphelinat et l'inspecteur qui avait été chargé de l'enquête.»

Le petit être applaudit.

«Bravo. Vous êtes un très bon enquêteur. Même sans votre ami devin.

– Ce n'est pas par hasard que lord Scriven vous a adopté. En fait, ce n'est pas lui qui vous a choisi... mais le contraire ! Comment ? »

Alistair ricana.

« Un magicien ne révèle jamais ses tours, voyons. Toutefois, je vais faire une exception pour vous. Je pense que vous devriez vous assoir, cependant. Cela risque de prendre un petit moment. »

Toujours aussi mal à l'aise, j'obtempérai.

« Mes parents n'étaient pas des gens très riches, reprit-il. Ma mère travaillait pour l'une des compagnies de lord Scriven. Une secrétaire zélée, sans histoire. Mais il se trouve qu'elle était aussi fort jolie. Et que le bon lord est tombé amoureux d'elle un beau jour. Était-elle amoureuse de lui aussi ? Je l'ignore, mais toujours est-il que neuf mois plus tard, je venais au monde.

– Mais alors...

– Oui, monsieur Carandini. Lord Scriven était mon véritable père. J'en ai eu la confirmation très vite, en volant des lettres qui étaient adressées à ma mère. Pour tout vous dire, j'étais très étonné de la relative opulence dans laquelle nous vivions, mes parents et moi. Mon "père", du moins, celui qui l'était aux yeux de la loi, était sans travail. Et ce n'est certainement pas le salaire de ma mère qui nous aurait permis d'avoir cette maison confortable et de ne manquer de rien.

– Mais... quel âge aviez-vous quand...

– Quand je les ai tués ? Oh ! huit ou neuf ans, je crois. Voyez-vous, monsieur Carandini, mon problème, depuis ma naissance, c'est que je suis ce qu'on appelle un génie. À vos yeux, un génie du mal, sans aucun doute. Mais peu importe. Je savais lire couramment à trois ans. Résoudre des équations mathématiques à cinq ans. Et depuis, mon intelligence n'a fait que croître à vitesse exponentielle. Pour moi, c'est vous qui êtes un enfant, monsieur Carandini.

– Un surdoué, fis-je entre mes dents.

– Non ! Pas un surdoué : un génie. Des surdoués, il y en a partout. Tout le temps. La vie finit par les rattraper, et ils rentrent dans le rang. Moi, je suis différent, monsieur Carandini. Je suis appelé à de grandes choses. »

Je secouai la tête, comme pour chasser les horreurs que j'entendais.

« Mordred... fis-je. Hélas ! je ne suis pas très versé dans les légendes. Si je l'avais été, j'aurais peut-être compris plus vite. Mordred était le fils illégitime du roi Arthur. Un chevalier brillant et précoce... qui a fini par tuer son père. C'est pour cela que vous avez choisi ce... nom de guerre, n'est-ce pas ?

– Ce n'était pas le plus difficile à trouver, mais vous avez mis dans le mille, monsieur Carandini. Encore bravo. »

Abattu par ces révélations, je demandai faiblement :

« Pourquoi avoir tué vos parents ? En quoi vous nuisaient-ils ?

– Oh ! oui, nous nous sommes égarés ! Le meurtre : j'y viens. J'ai fini par me rendre à cette terne évidence : pour m'émanciper, il me fallait quitter mes parents. Violemment. Et profiter de ce que je savais, bien sûr. On peut avoir toute l'intelligence du monde, on ne peut rien faire sans un peu de logistique et d'argent. Et tout cela, c'est lord Scriven qui l'avait. Un soir, donc, j'ai pris mes précautions pour que mes parents soient asphyxiés par le poêle à charbon. Un accident courant ! Quant à moi, j'y ai "réchappé par miracle". Un enquêteur, comme vous le soulignez, a bien eu des doutes, mais n'a rien pu prouver. Il s'est contenté de mettre en garde l'orphelinat où j'ai été placé. Bien entendu, j'avais pris soin de conserver les lettres qui compromettaient mon véritable père. Imaginez le scandale si cela s'était su ! Il ne m'a donc pas été bien difficile de l'intéresser à mon cas... et de le forcer à m'adopter. »

Je ne pouvais croire ce que j'entendais.

« Mais lord Scriven devait se méfier de vous, après cela ? »

Il éclata de rire.

« Se méfier ? Me pensez-vous assez stupide pour abattre mes cartes tout de suite ? Mon père n'a jamais su que j'étais derrière tout cela. Je suis un génie, je vous rappelle. En toute immodestie. Pour lord Scriven, c'était un mystérieux maître chanteur qui avait tout manigancé.

– Quel intérêt un maître chanteur aurait-il eu à vous faire adopter ? Ces gens veulent de l'argent, en général. »

Le garçonnet hocha la tête en signe d'admiration.

« Très bonne remarque. Le chantage ne portait pas sur une question d'argent, mais de morale. Lord Scriven devait s'occuper de son fils illégitime pour réparer son péché. Sans quoi l'affaire et les lettres seraient portées au grand jour. Jamais il n'a su que c'était moi. Ici, je me suis toujours complu dans mon rôle d'enfant sage, reconnaissant du bien qu'on lui faisait. Qui soupçonnerait un petit garçon sympathique, joyeux, et un peu gras ? Je ne collectionne pas des animaux morts, je n'ai pas de passe-temps morbide. Tout le monde m'aime. Et personne ne se méfie. »

J'aurais eu envie de me jeter sur lui, l'étrangler, mais je dus me contenter des mots.

« Espèce d'ignoble petit démon ! » lâchai-je.

Ce qui eut l'air de beaucoup amuser l'intéressé.

« Allons, je vaux un peu plus que cela, vous ne croyez pas ? Pensez un peu ! Moi, un enfant de treize ans, j'ai eu accès aux secrets les mieux gardés du pays. Mon père ne soupçonnait jamais pourquoi j'aimais tant "aller jouer" dans son bureau, là où il rangeait tous ses précieux dossiers. C'est comme si j'avais moi-même siégé à la Chambre des lords ! Dès lors, ma foi... Il ne m'a pas été difficile de rallier à ma cause un imbécile comme Brown, ou un gredin comme Kreuger.

– Kreuger était terrorisé par ce Mordred. Par vous, donc. Comment ?

– Oh ! il ne m'avait jamais vu, vous savez. Il avait peur du personnage imaginaire que j'avais créé, c'est tout. Mais j'en savais tellement sur les uns et les autres que je pouvais faire chanter la moitié du Tout-Londres. C'était comme jouer aux échecs à la manière de ce magicien qui avait gagné plusieurs parties simultanées contre des grands maîtres. Savez-vous comment il avait fait ?

– Non, mais...

– Laissez-moi vous expliquer : cela va beaucoup vous éclairer sur mes méthodes. Lors de ce tournoi un peu particulier, les grands maîtres étaient chacun dans une pièce isolée. Le magicien avait une telle mémoire qu'il était capable de mémoriser les coups de chacun. Alors, plutôt que de se lancer dans des parties qu'il aurait perdues, bien sûr, il a en quelque sorte fait jouer les maîtres les uns contre les autres. Un maître jouait un coup, et le magicien allait le rejouer dans la pièce d'à côté. De l'extérieur, on pensait que le magicien, qui ne connaissait rien aux échecs, jouait contre A, B, C, D, E et F. En réalité, A jouait contre B, C contre D, et E contre F. Le magicien, lui, n'était qu'un habile chef d'orchestre. Fatalement, malgré son inexpérience, il a donc remporté la moitié des parties, ce qui avait été salué comme un exploit. Vous saisissez ?

– Je saisis, oui.

– Eh bien ! j'ai fait exactement pareil. Avec les informations dont je disposais grâce à mon père, j'ai joué les uns contre les autres. Le coup semblait toujours provenir d'un adversaire déclaré, mais derrière tout cela, il y avait ma main. C'est de cette manière que j'ai réussi à avoir cette emprise sur Kreuger, qui s'était compromis dans un peu trop de mauvais coups. Pour lui, j'étais un homme puissant et invisible qui pouvait frapper n'importe qui, n'importe quand. Et puis, c'est moi qui ai conçu son système d'archives, et cette machine incroyable qui convertit les écritures en notes de musique. Comment pouvait-il ne pas me respecter, après cela ? L'imagination a fait le reste ! Et il était bien loin de penser que son mystérieux commanditaire était un petit garçon, qui se contentait de semer la zizanie parmi des adultes trop sûrs d'eux. »

La mâchoire crispée, le dos couvert de sueur, je parvins à articuler :

« Mais tout de même... pour qu'il vous obéisse de la sorte ?

– Je vous l'ai dit : il s'était compromis dans trop de mauvais coups. Et avec mon cerveau, il n'a pas été difficile de remonter jusqu'à lui et d'accumuler des preuves. Vous ne pouvez pas imaginer à quel point tout cela est aisé, en réalité. Quand on appuie au bon endroit, n'importe qui oublie le sens commun et se comporte à la manière d'un fou. Pour ne pas perdre ce qu'ils ont, même ce qu'ils ne méritent pas d'avoir, bien des hommes feraient n'importe quoi. »

Désormais, j'avais envie de pleurer. Cet être m'inspirait du dégoût, mais aussi, il fallait bien l'admettre, une variété repoussante de respect. Quel cerveau remarquable ! Et quelle monstruosité qu'il fût au service d'une cause diabolique ! Comme s'il lisait dans mes pensées, Alistair déclara :

« Vous vous demandez pourquoi je fais ça, n'est-ce pas ? La réponse va vous surprendre. J'ai le cerveau d'un génie, c'est vrai. Mais je ne suis qu'un enfant, au fond. Il y a des réalités... disons, biologiques qui ne se contournent pas. Et que font les enfants ? Ils jouent. Seulement, moi, il me fallait un terrain de jeu à ma hauteur : le monde. Certains enfants jouent aux soldats de plomb ; moi aussi. Mais avec de vrais soldats et de vrais bateaux. »

Je crus m'étouffer.

« Quoi ? Vous voulez dire que...

– …que je mourais d'envie de voir ce que les Japonais feraient aux Russes avec un navire de guerre comme le *HMS Dreadnought*. C'est tout. Je voulais lire les journaux, me régaler du récit de ces guerres à venir, et me dire "c'est moi qui joue". Et puis, au fond, suis-je vraiment le seul à voir les choses ainsi? Certainement pas. Mais dans mon cas, au moins… c'est de mon âge.»

J'étais anéanti. Je bus une gorgée de thé, car je me sentais desséché de l'intérieur. Puis, je répliquai:
«Pourquoi avoir tué lord Scriven? Votre père!
– Ah! bien sûr, nous y voilà. Tout est extrêmement simple, en réalité. Je n'ai eu aucun mal à convaincre Kreuger de faire passer les plans du *HMS Dreadnought* à l'ennemi. Mais il lui manquait la contribution de mon père, hélas! Il l'a approché comme il a pu, sans se dévoiler totalement. L'idée n'était pas de demander à mon père de collaborer avec l'ennemi, mais de l'amener à partager ses secrets de fabrication avec lui. Évidemment, ce fut un refus catégorique de mon père. Du coup, Kreuger a élaboré un plan moins direct. Il s'est rapproché de Brown, le secrétaire de mon père, qu'il n'a eu aucun mal à soudoyer et à rallier à sa cause.
– Votre père le payait si mal?
– Il faut croire que oui, ah! ah! ah! C'est Kreuger qui a demandé à Brown de séduire mon imbécile de sœur, afin de gagner la confiance intime de mon père. En devenant un familier du manoir, Brown n'aurait plus eu de difficultés à s'emparer des éléments qui manquaient à Kreuger.»
Je réfléchis, puis demandai:
«Je ne comprends pas une chose. Si ces fameux plans, documents, que sais-je, étaient ici, vous pouviez vous en emparer vous-même. Il était inutile de recourir à un intermédiaire tel que Brown.

– Ce n'est pas faux, monsieur Carandini, mais réfléchissez : Kreuger se serait demandé qui était la personne assez proche de lord Scriven pour avoir accès à ces informations. Immanquablement, les soupçons se seraient portés sur les proches. Peut-être pas sur moi, bien sûr, mais... Kreuger devait demeurer aussi loin que possible de la vérité. Alors, je l'ai laissé jouer ses propres cartes. Après tout, c'était bien plus amusant de le voir se démener sous mon nez de la sorte. »

J'étais estomaqué par la perversité de ce raisonnement.

« Je ne comprends toujours pas pourquoi vous avez tué votre père. Une deuxième fois, si j'ose dire.

– Brown venait de réussir sa mission, et de s'emparer des plans. Cela aurait pu en rester là, en effet. Il aurait quitté ma sœur quelques semaines plus tard, et tout était parfait. Mais mon père était très intelligent, voyez-vous. Non seulement il avait fini par me soupçonner, mais en plus, il comptait faire part de ses doutes sur Kreuger au War Office. Il devenait urgent de m'en débarrasser. C'est ce que j'ai fait. Vous êtes arrivés, et vous avez causé un peu de désordre. Brown n'avait pas encore transmis les informations à Kreuger, mais ce n'était pas bien grave à ce stade. Je m'en suis chargé dès la mort de Brown, et Kreuger a cru que c'était la dernière chose que cet abruti avait faite avant de se suicider.

– Pour en arriver à se suicider...

– Il était terrifié, oui. En tant que Mordred, et par l'intermédiaire de Kreuger, j'avais fait passer un message assez précis à Brown : s'il était capturé, il devait se suicider ou je faisais tuer ses parents et ses frères et sœurs. »

J'étais si nerveux que la tasse se brisa entre mes doigts. Tout en cherchant un mouchoir pour panser la plaie que je venais de me faire, je déclarai :

« De toutes les manières, tout s'arrête maintenant. Je ne vous laisserai jamais continuer.

– Vraiment ? Et de quelle manière comptez-vous procéder ? Vous n'avez pas l'ombre d'une preuve contre moi. Racontez ce que je viens de vous dire à qui que ce soit, et on vous rira au nez !

– Pourquoi l'avoir fait, alors ? Pourquoi cette confession ? »

Il leva les yeux au ciel.

« Monsieur Carandini, je vous en prie, reconnaissez-moi tout de même quelques qualités. Vous avez été un adversaire rusé, valeureux, et je vous en félicite. Ce petit récit était une manière de saluer votre intelligence. Et de rendre hommage à M. Banerjee. Sans lui, je suppose que vous ne seriez pas allé bien loin, sauf votre respect. Paix à son âme ! Et puis... j'avoue que je m'amuse beaucoup de la situation présente. Vous savez ce que je suis, ce que j'ai fait, mais quand mon grand frère rentrera dans cette pièce à nouveau, je me comporterai comme un garçonnet inoffensif. Je serai touchant, un peu niais, maladroit, et je ferai mine de m'intéresser aux confitures qui sont cachées dans la cuisine. Et je me repaîtrai de votre impuissance. Ce sera délicieux. »

Je secouai la tête.

« Je n'ai pas de preuves pour le moment, mais j'en trouverai, croyez-moi. Vous n'aurez jamais le moindre répit. Je traquerai vos faits et gestes, et un jour ou l'autre, je trouverai le moyen de vous arrêter. Si vous n'étiez pas un enfant...

– Vous me tueriez ? Je ne vous en crois pas capable. Mais je vais vous faire un aveu, monsieur Carandini : vous n'avez pas grand-chose à craindre de moi pour le moment. Vous avez cassé mes jouets, il va falloir un petit moment avant que j'en trouve d'autres, aussi beaux. Revenez à votre vie, monsieur Carandini. À vos petites enquêtes, et à cette jolie Ms. Buchan qui, tout le temps où elle a été ici, ne m'a jamais abusé. Dans quelques jours, je retournerai au pensionnat, et je me ferai oublier. Et un jour, je frapperai à nouveau. Quand ? Tenez, jouons ensemble.

– Je vous demande pardon ? »

Alistair plongea la main dans son gilet et en sortit deux dés. Il me les tendit en me disant :

« Lancez-les.

– Écoutez, je...

– Ne faites pas le rabat-joie. Lancez ces dés ! »

Je les fis rouler une première fois, et obtins un trois et un cinq.

« Bien. Dans huit ans. Cela fait un peu long, mais le hasard en a décidé ainsi. Soit. Lancez-les à nouveau, je vous prie. »

Cette fois, j'obtins un quatre et un deux.

« Six ! Le mois de juin, commenta Alistair. Parfait. Quel jour sommes-nous, monsieur Carandini ?

– Le 28. Mais de grâce, allez-vous m'expliquer ?

– Le 28, au mois de juin, dans huit ans. Très bien. Le 28 juin 1914, monsieur Carandini. Rendez-vous est pris. Vous entendrez à nouveau parler de moi ce jour-là. Bien sûr, vous aurez peut-être un peu oublié cette conversation : le temps donne l'apparence du rêve aux souvenirs qu'on aurait cru les plus vifs. Mais très vite, vous comprendrez. Et vous repenserez à moi. D'ici là, monsieur Carandini, vivez tranquillement : je ne serai plus un danger pour vous, ou qui que ce soit. Huit ans. Je vous offre huit ans pour avoir été un si habile adversaire. »

Il rangea les dés dans sa poche.

« D'ici là, ajouta-t-il, j'aurai atteint la majorité, et vous aurez peut-être moins de remords à me retrouver pour me tuer ? Mais vous ne serez toujours pas un assassin. Vous êtes une âme pure. Quel dommage ! La nature m'a fait autrement. Et on ne peut pas aller contre elle. »

Il recoiffa sa mèche d'un geste de la main, et tout en se levant, me dit :

« Je crois qu'il est temps pour moi de vous dire au revoir. Je suis fatigué. Bon courage à vous, monsieur Carandini. Et

ne faites pas cette tête. Vous avez gagné. Oui, vous, et pas moi.
Vous ne pouvez rien contre moi, c'est vrai, mais vous connaissez la vérité et vous avez protégé votre pays. Pensez bien à cela
les jours où vous vous maudirez de ne pas m'avoir arrêté. Les
jours, et surtout les nuits, bien sûr... »

Il tourna les talons, et sans que je sache quoi faire, il quitta
la pièce. Je demeurai seul dans le salon, abattu, triste, et plus
perdu que jamais.

Quelques minutes plus tard, je prenais congé de lord
Thomas, malgré son insistance pour me garder au dîner, et
même passer la nuit au manoir. Le fait est que j'avais du mal à
cacher mon état, mais le petit démon avait raison : je ne pouvais rien contre lui. J'allais devoir vivre avec le poids de ces
révélations, impuissant. Il me fallait rentrer, fuir cet endroit à
jamais.

Dans le train qui me ramenait à Londres, je repensai encore
aux paroles d'Alistair, et chaque mot me frappait comme un
coup de poing à l'estomac. Et puis, au milieu de cette noirceur
indicible, le visage de Lenora m'apparut. Je m'accrochai à la
lumière de ce phare pour ne pas me noyer dans le chagrin.

XVI

La migration des âmes

Deux semaines après ma confrontation avec Alistair Scriven, je ne logeais déjà plus à Portobello Road ; l'esprit de Banerjee y flottait encore avec trop d'intensité, et la blessure était bien loin d'être cicatrisée. J'avais pu sans aucune difficulté décrocher une place de reporter dans un concurrent du *Daily Star*, et trouver un petit meublé pas trop loin du centre-ville ; la malédiction était terminée, ou du moins, je me plaisais à le penser.

Polly était absente le jour où j'avais récupéré mes affaires. Depuis, je n'avais pas eu le courage de retourner la voir. Son chagrin m'aurait trop renvoyé l'image du mien. Je m'étais donc contenté, assez lâchement, de lui envoyer une longue lettre à laquelle elle n'avait répondu que par ces mots : « Nous nous reverrons tous un jour. » Cela m'avait semblé assez funeste, et je n'étais pas tout à fait pressé que cela arrive.

Un soir, donc, je rentrai aux alentours de minuit, un peu éméché après une soirée passablement arrosée entre collègues. Je ne remarquai même pas, du coup, que la porte de ma chambre n'était pas fermée à clé. Quand j'allumai la lampe à l'entrée, je réalisai que quelqu'un m'attendait. La personne avait élu domicile dans mon meilleur fauteuil – je devrais d'ailleurs dire « mon seul fauteuil », le reste de mon mobilier consistant en des chaises plus ou moins gâtées par la vie. En alerte, je dirigeai la flamme vers l'intrus, et sursautai : c'était Wilbur, l'homme qui avait tué Banerjee.

Je n'avais pas d'arme, ni sur moi ni ailleurs dans la maison, et réfléchis à toute vitesse au meilleur moyen de me protéger. Mais Wilbur me dit immédiatement :

« Calmez-vous, Christopher. Je ne vous ferai pas de mal.

– Comment êtes-vous sorti de prison ? hurlai-je. Je vais immédiatement prévenir la police. Vous venez me narguer après votre crime ? Espèce de... »

Wilbur leva la main pour m'inviter à me taire, avec beaucoup de douceur. Un frisson me parcourut alors l'échine.

« Christopher, poursuivit Wilbur, je sais que cela risque d'être un choc pour vous. Mais je fais confiance à votre ouverture d'esprit.

– Que connaissez-vous de moi, pauvre type ? Je vais vous démolir.

– Je sais beaucoup de choses, du moins au sens où vous l'entendez. »

Cette manière de parler m'était, elle aussi, étrangement familière. Quelque chose m'incita à écouter ce qu'il avait à me dire.

« Christopher, vous rappelez-vous ce que Banerjee vous a expliqué au sujet de la métempsychose ? De la migration des âmes ?

– Quoi ?

– Vous vous demandiez si l'esprit de lord Scriven avait vraiment pu migrer dans le corps de quelqu'un d'autre. Et Banerjee vous avait répondu qu'il connaissait des techniques permettant de mettre son âme en sûreté dans un autre corps, quand le premier était gravement meurtri. »

Je crus devenir fou.

« Je me souviens de tout cela, mais j'aimerais savoir pourquoi *vous* vous en souvenez aussi. Vous n'étiez pas là, que je sache.

– J'étais là, Christopher. En réalité, c'est moi-même qui vous en ai parlé. »

Je reculai d'un pas, chancelant.

« Attendez... Vous insinuez que...

– Je *n'insinue* jamais rien, Christopher. Je suis Arjuna Banerjee. Je pourrais vous fournir un certain nombre de preuves, vous faire le récit de notre première rencontre, ou même de notre première affaire. Vous parler de la disparition de vos parents. Mais je pense que cela ne servirait à rien, parce que vous êtes déjà convaincu. »

Je ne sus plus quoi dire. Je regardai fixement cet homme, que je pensais être mon ennemi. Et puis, je sentis quelque chose de frais et de doux monter en moi. Une joie tellement entière, primaire, que j'en paniquai presque. Alors, je me jetai vers celui qui n'était plus Wilbur qu'en apparence, et le serrai dans mes bras, les larmes aux yeux.

« Banerjee ! criai-je. Bon sang de bois, mais... Alors, vous en êtes vraiment capable ? C'est vous, là-dedans ? Dans le corps de cette fripouille ? Oh ! j'ai l'impression de devenir fou !

– Vous ne l'êtes pas, répondit Banerjee en m'écartant poliment. Je suis heureux de ne pas avoir mis trop de temps à vous convaincre. Je n'ai évidemment pas eu cette chance avec les autorités.

– Que voulez-vous dire ?

– Je me suis évadé de prison. J'ai eu beau exposer les choses calmement au superintendant Collins, j'ai peur que sa vision des choses soit moins large que la vôtre. J'ai donc été mis en prison avant mon procès, qui, ironie du sort, devait avoir lieu demain. J'en ai conclu que le moment était venu pour moi de vous retrouver. Le fait est que je vais avoir besoin de votre aide. »

Tout allait trop vite.

«Attendez, chaque chose en son temps. Je veux bien vous aider à tout ce que vous voulez, mais j'aimerais comprendre ce qui vous est arrivé, pour commencer.

– La balle de Wilbur m'avait beaucoup affaibli. En temps normal, je serais venu à bout d'un tel adversaire, mais je sentais que je perdais mon sang – et mes forces. Alors, j'ai fait ce que je vous avais expliqué : je me suis en quelque sorte "invité" dans le corps de Wilbur. Il faut que l'âme ne tienne plus qu'à un fil à son corps d'origine pour y parvenir. C'était mon cas.

– Alors, si Wilbur ne m'a pas tiré dessus...

– C'est parce que j'étais déjà en lui. Évidemment, il faut un petit moment pour l'âme qui s'invite ainsi pour devenir "maîtresse" de ce nouveau corps. Wilbur a réussi à me pousser avant que je prenne le contrôle de ses muscles. Et c'est aussi la raison pour laquelle vous avez dû trouver Wilbur aussi peu combattif, tout à coup. J'étais, en quelque sorte, en train de prendre mes marques. Mes repères. De prendre possession, au sens strict, de cette nouvelle enveloppe. »

Je ne répondis rien, et sortis une bouteille de whisky de mon armoire à liqueurs.

Je m'en servis une petite rasade, que j'avalai d'un coup.

«Excusez-moi, dis-je, mais c'est un cas de force majeure. Si vous en voulez...

– Non, vous savez bien que je ne bois pas.

– Oui, oui... Mais... Banerjee, si vous vous êtes évadé, la police va rappliquer ici d'une minute à l'autre ?

– Chez vous ? Pourquoi la police viendrait-elle chez vous ? Pour elle, je suis Wilbur. Pas Arjuna Banerjee. Elle cherchera parmi les fréquentations de Wilbur ou de Kreuger bien avant de penser à vous. »

Je me frottai le côté du crâne.

«Bien sûr. C'est logique. C'est logique. »

Je me versai un deuxième whisky, mais, pris de scrupules, n'y touchai pas. Je demandai alors :

« Dites-moi, mon vieux... Ça va finir par devenir un peu problématique, tout de même, d'habiter dans le corps d'un autre ? Surtout s'il est recherché par la police ?

– C'est bien cela qui motive ma présence ici. Je ne pourrai pas rester éternellement prisonnier de cette enveloppe. Je dois lutter chaque instant pour ne pas en être chassé. Aussi... J'aimerais que vous m'aidiez à retrouver mon corps d'origine. »

Mes scrupules s'envolèrent, et je liquidai cul sec mon deuxième verre.

« Votre corps originel. Mais vous avez...

– J'ai une balle dans le bras, et j'ai fait une chute de plusieurs mètres dans l'eau. Mais d'après mes renseignements, il n'y a rien de plus. Comme je vous l'avais expliqué, en absence de son âme, le corps ne bouge plus. Il est figé, comme si le temps s'arrêtait pour lui. Sans âme, pas de temps qui passe.

– Oui, vous m'aviez dit ça, en effet. Soit. Mais où est-il ? Au fond de l'eau ?

– Non, à la morgue d'une petite ville que nous avons dépassée juste avant mon... plongeon. Il attend que quelqu'un vienne le reconnaître. Bien sûr, il n'a été retrouvé que très récemment. Je pense que le courant l'a d'abord emporté dans un endroit plus ou moins accessible. L'essentiel, c'est que nous savons où il est.

– Donc...

– Il faudrait que vous m'aidiez à entrer dans la morgue, et ensuite... Il y a un autre rituel à exécuter. Ah ! et avant cela, bien entendu, il faudrait m'ôter cette balle du bras. Mais je m'en occuperai. »

Je claquai des mains.

« C'est tout ? On extrait la balle, je chante une chanson, et tout repart comme avant ?

– Pas tout à fait. Je serai extrêmement faible. Peut-être même me faudra-t-il une transfusion. Mais n'ayez aucune crainte sur le long terme.»

J'hésitai, puis, les mains sur les hanches, je dis :

«Alors, c'est parti ! En plus, je n'avais rien de spécial à faire demain.

– Pas demain, Christopher. Maintenant ! Ce corps est recherché : autant être discret.»

J'eus une moue désolée.

«Va pour ce soir. Je vais passer quelque chose de plus chaud. Ah ! Banerjee, vous m'en faites faire, des choses.»

J'ajoutai immédiatement :

«Mais ça me manquait.

– Ça me manquait aussi, mon ami», répondit-il.

Je restai muet, savourant l'écho de ces deux derniers mots. Puis, je mis mon manteau le plus chaud, et invitai Banerjee à se lever ; je n'arrivai même plus à voir Wilbur ; l'esprit du détective irradiait tellement que les apparences physiques ne comptaient plus.

Une fois dehors, sous une pluie fine, je dis :

«Pour le mystérieux Mordred, il faudra que je vous raconte. C'est peut-être pire encore que ce que vous pensiez. C'était ça, n'est-ce pas ? C'était l'esprit maléfique d'Alistair qui vous avait agressé durant vos rêves, à deux reprises ? Un mal tellement fort qu'il vous empoisonnait par la pensée ?

– Oui, Christopher. Mais je m'en veux de l'avoir compris aussi tard.»

Un fiacre s'annonça, et je lui fis signe de s'arrêter. Banerjee monta en prenant soin de ne pas se faire voir de trop.

Désormais à l'abri de la pluie, je demandai :

«Et Wilbur, au fait ? Que se passera-t-il quand vous le "quitterez" ?

– Il faudra le neutraliser sans trop attendre, et le confier à la police. Rien de bien difficile.

– Non, la routine, répliquai-je, déjà fatigué. »

Un long moment de silence s'écoula, où nous profitâmes de la présence l'un de l'autre. Puis, alors que nous approchions de la gare, Banerjee me dit :

« Christopher, j'ai fait un rêve.

– Lequel ?

– J'ai rêvé que trop peiné par un deuil qui vous accablait, vous n'aviez pas encore demandé la main de Ms. Buchan.

– Eh bien... »

Je me ravisai, puis demandai :

« Attendez ! Vous avez vraiment rêvé ça ?

– Disons que je l'ai très fortement supposé.

– Ah ! Banerjee, écoutez, je... Bah, nous en parlerons plus tard. J'ai quand même du mal à parler de choses aussi intimes quand vous avez la tête de votre propre meurtrier. Mais au fait : ça se voyait tellement ? Je veux dire, mes sentiments pour Ms. Buchan...

– Vous avez une expression que j'aime beaucoup : "comme le nez au milieu de la figure". Cela s'applique très bien ici, il me semble.

– Si vous le dites... Oh ! encore une chose. Si ce... changement de corps a fonctionné pour vous, est-ce que l'on peut imaginer que le valet de lord Scriven n'était pas fou à lier ? Pensez-vous qu'il se soit *vraiment* agi de lord Scriven ?

– Vous m'aviez déjà posé la question, je vous avais répondu. Ce n'est pas parce que désormais, vous me croyez, ce qui n'était pas le cas la première fois, que ma réponse a changé.

– Je m'en contenterai, alors. »

Je pris une grande bouffée d'air, et ajoutai :

« Ce que je suis pressé de serrer la main à un Banerjee... intact.

– Et il est lui-même pressé de vous reprendre à son service. Même si cela n'appelle pas de réponse immédiate. »

J'eus un petit rire.

« Banerjee, vous la connaissez déjà, cette réponse.

– Je ne la connais pas. Je me contente de la souhaiter. »

J'en étais tout transporté.

Je regardai l'heure à ma montre, et confiai mon inquiétude à Banerjee :

« Dites-moi, mon vieux, on n'aura jamais de train à cette heure, si ? Il va falloir patienter un bon moment, je pense. »

Banerjee sortit deux sachets en papier de ses poches, et les posa près de lui.

« C'est possible, Christopher. Mais j'ai apporté de quoi nous occuper.

– Non ! Quand même pas... un puzzle ?

– Si, un puzzle. »

J'éclatai de rire. Et profitant, sans doute, d'être dans la peau d'un autre, Banerjee en fit de même.

C'était une nuit de pluie, sans étoiles et sans lune. Une nuit qui menaçait d'être longue, harassante et sûrement dangereuse.

Mais c'était une nuit en compagnie d'Arjuna Banerjee, le détective du rêve. Et pour cela, elle n'aurait pas pu être plus belle.

Table des matières

Mes remerciements désormais traditionnels à Aurélie et Michèle pour leur aide, leur enthousiasme et leur confiance.

Merci à mesdemoiselles Remington et Olympia pour leur fidélité et leur efficacité – malgré leur grand âge.

Et bien sûr, une pensée pour mes inspirateurs : Sir Arthur Conan Doyle, Wilkie Collins, Charles Dickens, John Dickson Carr, Philip Meadows Taylor. Et même Julian Fellowes.

Arjuna Banerjee will return...

E. S.

Né en 1973 en région parisienne, **Eric Senabre** est journaliste depuis plus de dix ans. Lorsqu'il n'écrit pas, il joue du rock, se passionne pour les arts martiaux, dévore les films de série B et aime surtout la littérature fantastique du XIXᵉ siècle. Dans sa bibliothèque, on peut trouver de grands romans d'aventure écrits par Robert Louis Stevenson ou Sir Arthur Conan Doyle, mais, en cherchant bien, on trouvera aussi des *comics* des X-Men et des *Mickey Parade*. Car ce qu'il apprécie par-dessus tout, ce sont les histoires pleines d'imagination, les mystères à résoudre, et ce que l'on peut découvrir derrière la surface des choses connues.

Déjà parus aux éditions Didier Jeunesse : la série *Sublutetia*, *Elyssa de Carthage* et le livre-disque *Rockin' Johnny*.

© Didier Jeunesse, Paris, 2016

60-62 rue Saint-André-des-Arts

75006 Paris

www.didier-jeunesse.com

Conception graphique couverture : Taï-Marc Le Thanh

Graphisme : Laurent Batard

Composition, mise en pages et photogravure : IGS-CP (16)

ISBN : 978-2-278-05950-8 · Dépôt légal : 5950/01

N° d'impression : 1505466

Loi n° 49-956 du 16 juillet 1949 sur les publications destinées à la jeunesse

Achevé d'imprimer en France en janvier 2016 chez Normandie Roto Impression s.a.s.,
imprimeur labellisé Imprim'Vert, sur papier composé de fibres naturelles renouvelables,
recyclables, fabriquées à partir de bois issus de forêts gérées durablement.